GOTTHOLD EPHRAIM LESSING

NATHAN DER WEISE

EIN DRAMATISCHES GEDICHT
IN FÜNF AUFZÜGEN

PHILIPP RECLAM JUN. STUTTGART

Der Text folgt: Lessings Werke. Vollständige Ausgabe in fünf-
undzwanzig Teilen. Herausgegeben von Julius Petersen und
Waldemar von Olshausen. Zweiter Teil, Berlin und Leipzig,
Bong & Co. o. J.

Universal-Bibliothek Nr. 3
Gesetzt in Petit Garamond-Antiqua. Printed in Germany 1966.
Satz: Carl Moser, Stuttgart. Druck: Reclam Stuttgart

INTROITE, NAM ET HEIC DII SUNT.

Apud Gellium *

* Tretet ein, denn auch hier sind Götter!

Bei Gellius

PERSONEN

Sultan Saladin
Sittah, *dessen Schwester*
Nathan, *ein reicher Jude in Jerusalem*
Recha, *dessen angenommene Tochter*
Daja, *eine Christin, aber in dem Hause*
des Juden, als Gesellschafterin der Recha
Ein junger Tempelherr
Ein Derwisch
Der Patriarch von Jerusalem
Ein Klosterbruder
Ein Emir
nebst verschiednen Mamelucken des Saladin

Die Szene ist in Jerusalem

ERSTER AUFZUG

ERSTER AUFTRITT

(Szene: Flur in Nathans Hause.)

Nathan von der Reise kommend. Daja ihm entgegen.

D a j a. Er ist es! Nathan! — Gott sei ewig Dank,
  Daß Ihr doch endlich einmal wiederkommt.
N a t h a n.
  Ja, Daja; Gott sei Dank! Doch warum *endlich*?
  Hab' ich denn eher wiederkommen wollen?
  Und wiederkommen können? Babylon
  Ist von Jerusalem, wie ich den Weg,
  Seitab bald rechts, bald links, zu nehmen bin
  Genötigt worden, gut zweihundert Meilen;
  Und Schulden einkassieren, ist gewiß
  Auch kein Geschäft, das merklich födert, das
  So von der Hand sich schlagen läßt!
D a j a.   O Nathan,
  Wie elend, elend hättet Ihr indes
  Hier werden können! Euer Haus ...
N a t h a n.   Das brannte.
  So hab' ich schon vernommen. — Gebe Gott,
  Daß ich nur alles schon vernommen habe!
D a j a. Und wäre leicht von Grund aus abgebrannt.
N a t h a n. Dann, Daja, hätten wir ein neues uns
  Gebaut; und ein bequemeres.
D a j a.   Schon wahr! —
  Doch *Recha* wär' bei einem Haare mit
  Verbrannt.
N a t h a n.   Verbrannt? Wer? meine Recha? sie?
  Das hab' ich nicht gehört. — Nun dann! So hätte
  Ich keines Hauses mehr bedurft. — Verbrannt
  Bei einem Haare! — Ha! sie ist es wohl!
  Ist wirklich wohl verbrannt! — Sag' nur heraus!

Heraus nur! — Töte mich: und martre mich
Nicht länger. — Ja, sie ist verbrannt.
Daja.   Wenn sie
Es wäre, würdet Ihr von mir es hören?
Nathan.
Warum erschreckst du mich denn? — O Recha!
O meine Recha!
Daja.   Eure? Eure Recha?
Nathan. Wenn ich mich wieder je entwöhnen müßte,
Dies Kind mein Kind zu nennen!
Daja.   Nennt Ihr alles,
Was Ihr besitzt, mit ebensoviel Rechte
Das Eure?
Nathan. Nichts mit größerm! Alles, was
Ich sonst besitze, hat Natur und Glück
Mir zugeteilt. Dies Eigentum allein
Dank' ich der Tugend.
Daja.   O wie teuer laßt
Ihr Eure Güte, Nathan, mich bezahlen!
Wenn Güt', in solcher Absicht ausgeübt,
Noch Güte heißen kann!
Nathan.   In solcher Absicht?
In welcher?
Daja.   Mein Gewissen ...
Nathan.   Daja, laß
Vor allen Dingen dir erzählen ...
Daja.   Mein
Gewissen, sag' ich ...
Nathan.   Was in Babylon
Für einen schönen Stoff ich dir gekauft.
So reich, und mit Geschmack so reich! Ich bringe
Für Recha selbst kaum einen schönern mit.
Daja. Was hilft's? Denn mein Gewissen, muß ich Euch
Nur sagen, läßt sich länger nicht betäuben.
Nathan. Und wie die Spangen, wie die Ohrgehenke,
Wie Ring und Kette dir gefallen werden,
Die in Damaskus ich dir ausgesucht:
Verlanget mich zu sehn.
Daja.   So seid Ihr nun!
Wenn Ihr nur schenken könnt! nur schenken könnt!

Nathan.
    Nimm du so gern, als ich dir geb': — und schweig!
Daja.
    Und schweig! Wer zweifelt, Nathan, daß Ihr nicht
    Die Ehrlichkeit, die Großmut selber seid?
    Und doch ...
Nathan.   Doch bin ich nur ein Jude. — Gelt,
    Das willst du sagen?
Daja.   Was ich sagen will,
    Das wißt Ihr besser.
Nathan.   Nun so schweig!
Daja.   Ich schweige.
    Was Sträfliches vor Gott hierbei geschieht,
    Und ich nicht hindern kann, nicht ändern kann, —
    Nicht kann, — komm' über Euch!
Nathan.   Komm' über mich! —
    Wo aber ist sie denn? wo bleibt sie? — Daja,
    Wenn du mich hintergehst! — Weiß sie es denn,
    Daß ich gekommen bin?
Daja.   Das frag' ich Euch!
    Noch zittert ihr der Schreck durch jede Nerve.
    Noch malet Feuer ihre Phantasie
    Zu allem, was sie malt. Im Schlafe wacht,
    Im Wachen schläft ihr Geist: bald weniger
    Als Tier, bald mehr als Engel.
Nathan.   Armes Kind!
    Was sind wir Menschen!
Daja.   Diesen Morgen lag
    Sie lange mit verschloßnem Aug', und war
    Wie tot. Schnell fuhr sie auf, und rief: „Horch! horch!
    Da kommen die Kamele meines Vaters!
    Horch! seine sanfte Stimme selbst!" — Indem
    Brach sich ihr Auge wieder: und ihr Haupt,
    Dem seines Armes Stütze sich entzog,
    Stürzt auf das Kissen. — Ich, zur Pfort' hinaus!
    Und sieh: da kommt Ihr wahrlich! kommt Ihr
    Was Wunder! ihre ganze Seele war   [wahrlich! —
    Die Zeit her nur bei Euch — und ihm. —
Nathan.   Bei ihm?
    Bei welchem Ihm?

D a j a.   Bei ihm, der aus dem Feuer
Sie rettete.
N a t h a n. Wer war das? wer? — Wo ist er?
Wer rettete mir meine Recha? wer?
D a j a. Ein junger Tempelherr, den, wenig Tage
Zuvor, man hier gefangen eingebracht,
Und Saladin begnadigt hatte.
N a t h a n.   Wie?
Ein Tempelherr, dem Sultan Saladin
Das Leben ließ? Durch ein geringres Wunder
War Recha nicht zu retten? Gott!
D a j a.   Ohn' ihn,
Der seinen unvermuteten Gewinst
Frisch wieder wagte, war es aus mit ihr.
N a t h a n. Wo ist er, Daja, dieser edle Mann? —
Wo ist er? Führe mich zu seinen Füßen.
Ihr gabt ihm doch vors erste, was an Schätzen
Ich euch gelassen hatte? gabt ihm alles?
Verspracht ihm mehr? weit mehr?
D a j a.   Wie konnten wir?
N a t h a n.
Nicht? nicht?
D a j a.   Er kam, und niemand weiß woher.
Er ging, und niemand weiß wohin. — Ohn' alle
Des Hauses Kundschaft, nur von seinem Ohr
Geleitet, drang, mit vorgespreiztem Mantel,
Er kühn durch Flamm' und Rauch der Stimme nach,
Die uns um Hilfe rief. Schon hielten wir
Ihn für verloren, als aus Rauch und Flamme
Mit eins er vor uns stand, im starken Arm
Empor sie tragend. Kalt und ungerührt
Vom Jauchzen unsers Danks, setzt seine Beute
Er nieder, drängt sich unters Volk und ist —
Verschwunden!
N a t h a n.   Nicht auf immer, will ich hoffen.
D a j a. Nachher die ersten Tage sahen wir
Ihn untern Palmen auf und nieder wandeln,
Die dort des Auferstandnen Grab umschatten.
Ich nahte mich ihm mit Entzücken, dankte,
Erhob, entbot, beschwor, — nur einmal noch

Die fromme Kreatur zu sehen, die
Nicht ruhen könne, bis sie ihren Dank
Zu seinen Füßen ausgeweinet.
N a t h a n.   Nun?
D a j a. Umsonst! Er war zu unsrer Bitte taub;
Und goß so bittern Spott auf mich besonders ...
N a t h a n. Bis dadurch abgeschreckt ...
D a j a.   Nichts weniger!
Ich trat ihn jeden Tag von neuem an;
Ließ jeden Tag von neuem mich verhöhnen.
Was litt ich nicht von ihm! Was hätt' ich nicht
Noch gern ertragen! — Aber lange schon
Kommt er nicht mehr, die Palmen zu besuchen,
Die unsers Auferstandnen Grab umschatten;
Und niemand weiß, wo er geblieben ist. —
Ihr staunt? Ihr sinnt?
N a t h a n.   Ich überdenke mir,
Was das auf einen Geist, wie Rechas, wohl
Für Eindruck machen muß. Sich so verschmäht
Von dem zu finden, den man hochzuschätzen
Sich so gezwungen fühlt; so weggestoßen
Und doch so angezogen werden; — Traun,
Da müssen Herz und Kopf sich lange zanken,
Ob Menschenhaß, ob Schwermut siegen soll.
Oft siegt auch keines; und die Phantasie,
Die in den Streit sich mengt, macht Schwärmer,
Bei welchen bald der Kopf das Herz, und bald
Das Herz den Kopf muß spielen. — Schlimmer
                         Tausch! —
Das letztere, verkenn' ich Recha nicht,
Ist Rechas Fall: sie schwärmt.
D a j a.   Allein so fromm,
So liebenswürdig!
N a t h a n.   Ist doch auch geschwärmt!
D a j a. Vornehmlich *eine* — Grille, wenn Ihr wollt,
Ist ihr sehr wert. Es sei ihr Tempelherr
Kein irdischer und keines irdischen;
Der Engel einer, deren Schutze sich
Ihr kleines Herz, von Kindheit auf, so gern
Vertrauet glaubte, sei aus seiner Wolke,

In die er sonst verhüllt, auch noch im Feuer,
Um sie geschwebt, mit eins als Tempelherr
Hervorgetreten. — Lächelt nicht! — Wer weiß?
Laßt lächelnd wenigstens ihr einen Wahn,
In dem sich Jud' und Christ und Muselmann
Vereinigen; — so einen süßen Wahn!
N a t h a n. Auch mir so süß! — Geh, wackre Daja, geh;
Sieh, was sie macht; ob ich sie sprechen kann. —
Sodann such' ich den wilden, launigen
Schutzengel auf. Und wenn ihm noch beliebt,
Hienieden unter uns zu wallen; noch
Beliebt, so ungesittet Ritterschaft
Zu treiben: find' ich ihn gewiß; und bring'
Ihn her.
D a j a.   Ihr unternehmet viel.
N a t h a n.   Macht dann
Der süße Wahn der süßern Wahrheit Platz: —
Denn, Daja, glaube mir; dem Menschen ist
Ein Mensch noch immer lieber, als ein Engel —
So wirst du doch auf mich, auf mich nicht zürnen,
Die Engelschwärmerin geheilt zu sehn?
D a j a. Ihr seid so gut, und seid zugleich so schlimm!
Ich geh'! — Doch hört! doch seht! — Da kommt sie
                              selbst.

ZWEITER AUFTRITT

Recha und die Vorigen.

R e c h a.
So seid Ihr es doch ganz und gar, mein Vater?
Ich glaubt', Ihr hättet Eure Stimme nur
Vorausgeschickt. Wo bleibt Ihr? Was für Berge,
Für Wüsten, was für Ströme trennen uns
Denn noch? Ihr atmet Wand an Wand mit ihr,
Und eilt nicht, Eure Recha zu umarmen?
Die arme Recha, die indes verbrannte! —
Fast, fast verbrannte! Fast nur. Schaudert nicht!
Es ist ein garst'ger Tod, verbrennen. O!
N a t h a n. Mein Kind! mein liebes Kind!

R e c h a. Ihr mußtet über
Den Euphrat, Tigris, Jordan; über — wer
Weiß was für Wasser all? — Wie oft hab' ich
Um Euch gezittert, eh' das Feuer mir
So nahe kam! Denn seit das Feuer mir
So nahe kam: dünkt mich im Wasser sterben
Erquickung, Labsal, Rettung. — Doch Ihr seid
Ja nicht ertrunken: ich, ich bin ja nicht
Verbrannt. Wie wollen wir uns freun, und Gott,
Gott loben! Er, er trug Euch und den Nachen
Auf Flügeln seiner *unsichtbaren* Engel
Die ungetreuen Ström' hinüber. Er,
Er winkte meinem Engel, daß er *sichtbar*
Auf seinem weißen Fittiche, mich durch
Das Feuer trüge —
N a t h a n. (Weißem Fittiche!
Ja, ja! der weiße vorgespreizte Mantel
Des Tempelherrn.)
R e c h a. Er sichtbar, sichtbar mich
Durchs Feuer trüg', von seinem Fittiche
Verweht. — Ich also, ich hab' einen Engel
Von Angesicht zu Angesicht gesehn;
Und *meinen* Engel.
N a t h a n. Recha wär' es wert;
Und würd' an ihm nichts Schönres sehn, als er
An ihr.
R e c h a *(lächelnd)*.
Wem schmeichelt Ihr, mein Vater? wem?
Dem Engel, oder Euch?
N a t h a n. Doch hätt' auch nur
Ein Mensch — ein Mensch, wie die Natur sie täglich
Gewährt, dir diesen Dienst erzeigt: er müßte
Für dich ein Engel sein. Er müßt' und würde.
R e c h a.
Nicht so ein Engel; nein! ein wirklicher;
Es war gewiß ein wirklicher! — Habt Ihr,
Ihr selbst die Möglichkeit, daß Engel sind,
Daß Gott zum Besten derer, die ihn lieben,
Auch Wunder könne tun, mich nicht gelehrt?
Ich lieb' ihn ja.

Nathan.   Und er liebt dich; und tut
Für dich, und deinesgleichen, stündlich Wunder;
Ja, hat sie schon von aller Ewigkeit
Für euch getan.
Recha.   Das hör' ich gern.
Nathan.   Wie? weil
Es ganz natürlich, ganz alltäglich klänge,
Wenn dich ein eigentlicher Tempelherr
Gerettet hätte: sollt' es darum weniger
Ein Wunder sein? — Der Wunder höchstes ist,
Daß uns die wahren, echten Wunder so
Alltäglich werden können, werden sollen.
Ohn' dieses allgemeine Wunder, hätte
Ein Denkender wohl schwerlich Wunder je
Genannt, was Kindern bloß so heißen müßte,
Die gaffend nur das Ungewöhnlichste,
Das Neuste nur verfolgen.
Daja *(zu Nathan)*.   Wollt Ihr denn
Ihr ohnedem schon überspanntes Hirn
Durch solcherlei Subtilitäten ganz
Zersprengen?
Nathan.   Laß mich! — Meiner Recha wär'
Es Wunders nicht genug, daß sie ein *Mensch*
Gerettet, welchen selbst kein kleines Wunder
Erst retten müssen? Ja, kein kleines Wunder!
Denn wer hat schon gehört, daß Saladin
Je eines Tempelherrn verschont? daß je
Ein Tempelherr von ihm verschont zu werden
Verlangt? gehofft? ihm je für seine Freiheit
Mehr als den ledern Gurt geboten, der
Sein Eisen schleppt; und höchstens seinen Dolch?
Recha.
Das schließt für mich, mein Vater. — Darum eben
War das kein Tempelherr; er schien es nur. —
Kömmt kein gefangner Tempelherr je anders
Als zum gewissen Tode nach Jerusalem;
Geht keiner in Jerusalem so frei
Umher: wie hätte mich des Nachts freiwillig
Denn einer retten können?
Nathan.   Sieh! wie sinnreich.

Jetzt, Daja, nimm das Wort. Ich hab' es ja
Von dir, daß er gefangen hergeschickt
Ist worden. Ohne Zweifel weißt du mehr.
D a j a. Nun ja. — So sagt man freilich; — doch man sagt
    Zugleich, daß Saladin den Tempelherrn
    Begnadigt, weil er seiner Brüder einem,
    Den er besonders lieb gehabt, so ähnlich sehe.
    Doch da es viele zwanzig Jahre her,
    Daß dieser Bruder nicht mehr lebt, — er hieß,
    Ich weiß nicht wie; — er blieb, ich weiß nicht wo: —
    So klingt das ja so gar — so gar unglaublich,
    Daß an der ganzen Sache wohl nichts ist.
N a t h a n. Ei, Daja! Warum wäre denn das so
    Unglaublich? Doch wohl nicht — wie's wohl
                    geschieht —
    Um lieber etwas noch Unglaublichers
    Zu glauben? — Warum hätte Saladin,
    Der sein Geschwister insgesamt so liebt,
    In jüngern Jahren einen Bruder nicht
    Noch ganz besonders lieben können? — Pflegen
    Sich zwei Gesichter nicht zu ähneln? — Ist
    Ein alter Eindruck ein verlorner? — Wirkt
    Das Nämliche nicht mehr das Nämliche? —
    Seit wenn? — Wo steckt hier das Unglaubliche? —
    Ei freilich, weise Daja, wär's für dich
    Kein Wunder mehr; und *deine* Wunder nur
    Bedürf . . . verdienen, will ich sagen, Glauben.
D a j a. Ihr spottet.
N a t h a n.   Weil du meiner spottest. — Doch
    Auch so noch, Recha, bleibet deine Rettung
    Ein Wunder, dem nur möglich, der die strengsten
    Entschlüsse, die unbändigsten Entwürfe
    Der Könige, sein Spiel — wenn nicht sein Spott
    Gern an den schwächsten Fäden lenkt.
R e c h a.   Mein Vater!
    Mein Vater, wenn ich irr', Ihr wißt, ich irre
    Nicht gern.
N a t h a n.   Vielmehr, du läßt dich gern belehren. —
    Sieh! eine Stirn, so oder so gewölbt;
    Der Rücken einer Nase, so vielmehr

Als so geführet; Augenbrauen, die
Auf einem scharfen oder stumpfen Knochen
So oder so sich schlängeln; eine Linie,
Ein Bug, ein Winkel, eine Falt', ein Mal,
Ein Nichts, auf eines wilden Europäers
Gesicht: — und du entkömmst dem Feur, in Asien!
Das wär' kein Wunder, wundersücht'ges Volk?
Warum bemüht ihr denn noch einen Engel?

D a j a.
Was schadet's — Nathan, wenn ich sprechen darf —
Bei alledem, von einem Engel lieber
Als einem Menschen sich gerettet denken?
Fühlt man den ersten unbegreiflichen
Ursache seiner Rettung nicht sich so
Viel näher?

N a t h a n.   Stolz! und nichts als Stolz! Der Topf
Von Eisen will mit einer silbern Zange
Gern aus der Glut gehoben sein, um selbst
Ein Topf von Silber sich zu dünken. — Pah! —
Und was es schadet, fragst du? was es schadet?
Was hilft es? dürft' ich nur hinwieder fragen. —
Denn dein „Sich Gott um so viel näher fühlen"
Ist Unsinn oder Gotteslästerung. —
Allein es schadet; ja, es schadet allerdings. —
Kommt! hört mir zu. — Nicht wahr? dem Wesen, das
Dich rettete, — es sei ein Engel oder
Ein Mensch, — dem möchtet ihr, und du besonders,
Gern wieder viele große Dienste tun? —
Nicht wahr? — Nun, einem Engel, was für Dienste,
Für große Dienste könnt ihr dem wohl tun?
Ihr könnt ihm danken; zu ihm seufzen, beten;
Könnt in Entzückung über ihn zerschmelzen;
Könnt an dem Tage seiner Feier fasten,
Almosen spenden. — Alles nichts. — Denn mich
Deucht immer, daß ihr selbst und euer Nächster
Hierbei weit mehr gewinnt, als er. Er wird
Nicht fett durch euer Fasten; wird nicht reich
Durch eure Spenden; wird nicht herrlicher
Durch eur Entzücken; wird nicht mächtiger
Durch eur Vertraun. Nicht wahr? Allein ein Mensch!

D a j a. Ei freilich hätt' ein Mensch, etwas für ihn
  Zu *tun*, uns mehr Gelegenheit verschafft.
  Und Gott weiß, wie bereit wir dazu waren!
  Allein er wollte ja, bedurfte ja
  So völlig nichts; war in sich, mit sich so
  Vergnügsam, als nur Engel sind, nur Engel
  Sein können.
R e c h a.   Endlich, als er gar verschwand . . .
N a t h a n. Verschwand? — Wie denn verschwand? —
                        Sich untern Palmen
  Nicht ferner sehen ließ? — Wie? oder habt
  Ihr wirklich schon ihn weiter aufgesucht?
D a j a. Das nun wohl nicht.
N a t h a n.   Nicht, Daja? nicht? — Da sieh
  Nun was es schad't! — Grausame Schwärmerinnen! —
  Wenn dieser Engel nun — nun krank geworden! . . .
R e c h a. Krank!
D a j a.   Krank! Er wird doch nicht!
R e c h a.   Welch kalter Schauer
  Befällt mich! — Daja! — Meine Stirne, sonst
  So warm, fühl'! ist auf einmal Eis.
N a t h a n.   Er ist
  Ein Franke, dieses Klimas ungewohnt;
  Ist jung; der harten Arbeit seines Standes,
  Des Hungerns, Wachens ungewohnt.
R e c h a.   Krank! krank!
D a j a. Das wäre möglich, meint ja Nathan nur.
N a t h a n.
  Nun liegt er da! hat weder Freund, noch Geld
  Sich Freunde zu besolden.
R e c h a.   Ah, mein Vater!
N a t h a n.
  Liegt ohne Wartung, ohne Rat und Zusprach,
  Ein Raub der Schmerzen und des Todes da!
R e c h a. Wo? wo?
N a t h a n.   Er, der für eine, die er nie
  Gekannt, gesehn — genug, es war ein Mensch —
  Ins Feu'r sich stürzte . . .
D a j a.   Nathan, schonet ihrer!
N a t h a n. Der, was er rettete, nicht näher kennen,

Nicht weiter sehen mocht', — um ihm den Dank
Zu sparen ...
D a j a.   Schonet ihrer, Nathan!
N a t h a n.   Weiter
Auch nicht zu sehn verlangt', — es wäre denn,
Daß er zum zweitenmal es retten sollte —
Denn gnug, es ist ein Mensch ...
D a j a.   Hört auf, und seht!
N a t h a n. Der, der hat sterbend sich zu laben, nichts —
Als das Bewußtsein dieser Tat!
D a j a.   Hört auf!
Ihr tötet sie!
N a t h a n.   Und du hast ihn getötet! —
Hättst so ihn töten können. — Recha! Recha!
Es ist Arznei, nicht Gift, was ich dir reiche.
Er lebt! — komm zu dir! — ist auch wohl nicht krank:
Nicht einmal krank!
R e c h a.   Gewiß? — nicht tot? nicht krank?
N a t h a n.
Gewiß, nicht tot! Denn Gott lohnt Gutes, hier
Getan, auch hier noch. — Geh! — Begreifst du aber,
Wie viel *andächtig schwärmen* leichter, als
Gut handeln ist? wie gern der schlaffste Mensch
Andächtig schwärmt, um nur, — ist er zu Zeiten
Sich schon der Absicht deutlich nicht bewußt —
Um nur gut handeln nicht zu dürfen?
R e c h a.   Ah,
Mein Vater! laßt, laßt Eure Recha doch
Nie wiederum allein! — Nicht wahr, er kann
Auch wohl verreist nur sein? —
N a t h a n.   Geht! — Allerdings. —
Ich seh', dort mustert mit neugier'gem Blick
Ein Muselmann mir die beladenen
Kamele. Kennt Ihr ihn?
D a j a.   Ha! Euer Derwisch.
N a t h a n. Wer?
D a j a.   Euer Derwisch; Euer Schachgesell!
N a t h a n. Al-Hafi? das Al-Hafi?
D a j a.   Itzt des Sultans
Schatzmeister.

N a t h a n.   Wie? Al-Hafi? Träumst du wieder? —
  Er ist's! — wahrhaftig, ist's! — kömmt auf uns zu.
  Hinein mit Euch, geschwind! — Was werd' ich hören!

DRITTER AUFTRITT

Nathan und der Derwisch.

D e r w i s c h.
  Reißt nur die Augen auf, so weit Ihr könnt!
N a t h a n.
  Bist du's? Bist du es nicht? — In dieser Pracht,
  Ein Derwisch! . . .
D e r w i s c h.   Nun? warum denn nicht? Läßt sich
  Aus einem Derwisch denn nichts, gar nichts machen?
N a t h a n.
  Ei wohl, genug! — Ich dachte mir nur immer,
  Der Derwisch — so der rechte Derwisch — woll'
  Aus sich nichts machen lassen.
D e r w i s c h.   Beim Propheten!
  Daß ich kein rechter bin, mag auch wohl wahr sein.
  Zwar wenn man muß —
N a t h a n.   Muß! Derwisch! — Derwisch muß?
  Kein Mensch muß müssen, und ein Derwisch müßte?
  Was müßt' er denn?
D e r w i s c h.   Warum man ihn recht bittet,
  Und er für gut erkennt: das muß ein Derwisch.
N a t h a n.
  Bei unserm Gott! da sagst du wahr. — Laß dich
  Umarmen, Mensch. — Du bist doch noch mein Freund?
D e r w i s c h.
  Und fragt nicht erst, was ich geworden bin?
N a t h a n.
  Trotz dem, was du geworden!
D e r w i s c h.   Könnt' ich nicht
  Ein Kerl im Staat geworden sein, des Freundschaft
  Euch ungelegen wäre?
N a t h a n.   Wenn dein Herz
  Noch Derwisch ist, so wag' ich's drauf. Der Kerl
  Im Staat, ist nur dein Kleid.

Derwisch.   Das auch geehrt
  Will sein. — Was meint Ihr? ratet! — Was wär' ich
  An Eurem Hofe?
Nathan.   Derwisch; weiter nichts.
  Doch nebenher, wahrscheinlich — Koch.
Derwisch.   Nun ja!
  Mein Handwerk bei Euch zu verlernen. — Koch!
  Nicht Kellner auch? — Gesteht, daß Saladin
  Mich besser kennt. — Schatzmeister bin ich bei —
  Ihm worden.
Nathan.   Du? — bei ihm?
Derwisch.   Versteht:
  Des kleinern Schatzes, — denn des größern waltet
  Sein Vater noch — des Schatzes für sein Haus.
Nathan. Sein Haus ist groß.
Derwisch.   Und größer, als Ihr glaubt;
  Denn jeder Bettler ist von seinem Hause.
Nathan. Doch ist den Bettlern Saladin so feind —
Derwisch.
  Daß er mit Stumpf und Stiel sie zu vertilgen
  Sich vorgesetzt, — und sollt' er selbst darüber
  Zum Bettler werden.
Nathan.   Brav! — So mein' ich's eben.
Derwisch.
  Er ist's auch schon, trotz einem! — Denn sein Schatz
  Ist jeden Tag mit Sonnenuntergang
  Viel leerer noch, als leer. Die Flut, so hoch
  Sie morgens eintritt, ist des Mittags längst
  Verlaufen —
Nathan.   Weil Kanäle sie zum Teil
  Verschlingen, die zu füllen oder zu
  Verstopfen, gleich unmöglich ist.
Derwisch.   Getroffen!
Nathan. Ich kenne das!
Derwisch.   Es taugt nun freilich nichts,
  Wenn Fürsten Geier unter Äsern sind.
  Doch sind sie Äser unter Geiern, taugt's
  Noch zehnmal weniger.
Nathan.   O nicht doch, Derwisch!
  Nicht doch!

Derwisch. Ihr habt gut reden, Ihr! — Kommt an:
  Was gebt Ihr mir? so tret' ich meine Stell'
  Euch ab.
Nathan. Was bringt dir deine Stelle?
Derwisch.   Mir?
  Nicht viel. Doch Euch, Euch kann sie trefflich wuchern.
  Denn ist es Ebb' im Schatz, — wie öfters ist,
  So zieht Ihr Eure Schleusen auf: schießt vor,
  Und nehmt an Zinsen, was Euch nur gefällt.
Nathan. Auch Zins vom Zins der Zinsen?
Derwisch.   Freilich!
Nathan.   Bis
  Mein Kapital zu lauter Zinsen wird.
Derwisch. Das lockt Euch nicht? — So schreibet
                          unsrer Freundschaft
  Nur gleich den Scheidebrief! Denn wahrlich hab'
  Ich sehr auf Euch gerechnet.
Nathan.   Wahrlich? Wie
  Denn so? wieso denn?
Derwisch.   Daß Ihr mir mein Amt
  Mit Ehren würdet führen helfen; daß
  Ich allzeit offne Kasse bei Euch hätte. —
  Ihr schüttelt?
Nathan.   Nun, verstehn wir uns nur recht!
  Hier gibt's zu unterscheiden. — Du? warum
  Nicht du? Al-Hafi Derwisch ist zu allem,
  Was ich vermag, mir stets willkommen. — Aber
  Al-Hafi Defterdar des Saladin,
  Der — dem —
Derwisch.   Erriet ich's nicht? Daß Ihr doch immer
  So gut als klug, so klug als weise seid! —
  Geduld! Was Ihr am Hafi unterscheidet,
  Soll bald geschieden wieder sein. — Seht da
  Das Ehrenkleid, das Saladin mir gab.
  Eh' es verschossen ist, eh' es zu Lumpen
  Geworden, wie sie einen Derwisch kleiden,
  Hängt's in Jerusalem am Nagel, und
  Ich bin am Ganges, wo ich leicht und barfuß
  Den heißen Sand mit meinen Lehrern trete.
Nathan. Dir ähnlich gnug!

Derwisch.   Und Schach mit ihnen spiele.
Nathan.
    Dein höchstes Gut!
Derwisch.   Denkt nur, was mich verführte! —
    Damit ich selbst nicht länger betteln dürfte?
    Den reichen Mann mit Bettlern spielen könnte?
    Vermögend wär' im Hui den reichsten Bettler
    In einen armen Reichen zu verwandeln?
Nathan. Das nun wohl nicht.
Derwisch.   Weit etwas Abgeschmackters!
    Ich fühlte mich zum erstenmal geschmeichelt;
    Durch Saladins gutherz'gen Wahn geschmeichelt —
Nathan. Der war?
Derwisch.   „Ein Bettler wisse nur, wie Bettlern
    Zumute sei; ein Bettler habe nur
    Gelernt, mit guter Weise Bettlern geben.
    Dein Vorfahr, sprach er, war mir viel zu kalt,
    Zu rauh. Er gab so unhold, wenn er gab;
    Erkundigte so ungestüm sich erst
    Nach dem Empfänger; nie zufrieden, daß
    Er nur den Mangel kenne, wollt' er auch
    Des Mangels Ursach' wissen, um die Gabe
    Nach dieser Ursach' filzig abzuwägen.
    Das wird Al-Hafi nicht! So unmild mild
    Wird Saladin im Hafi nicht erscheinen!
    Al-Hafi gleicht verstopften Röhren nicht,
    Die ihre klar und still empfangnen Wasser
    So unrein und so sprudelnd wiedergeben.
    Al-Hafi denkt; Al-Hafi fühlt wie ich!" —
    So lieblich klang des Voglers Pfeife, bis
    Der Gimpel in dem Netze war. — Ich Geck!
    Ich eines Gecken Geck!
Nathan.   Gemach, mein Derwisch,
    Gemach!
Derwisch. Ei was! — Es wär' nicht Geckerei,
    Bei Hunderttausenden die Menschen drücken,
    Ausmergeln, plündern, martern, würgen; und
    Ein Menschenfreund an einzeln scheinen wollen?
    Es wär' nicht Geckerei, des Höchsten Milde,
    Die sonder Auswahl über Bös' und Gute

Und Flur und Wüstenei, in Sonnenschein
Und Regen sich verbreitet, — nachzuäffen,
Und nicht des Höchsten immer volle Hand
Zu haben? Was? es wär' nicht Geckerei ...
N a t h a n. Genug! hör' auf!
D e r w i s c h.   Laßt *meiner* Geckerei
Mich doch nur auch erwähnen! — Was? es wäre
Nicht Geckerei, an solchen Geckereien
Die gute Seite dennoch auszuspüren,
Um Anteil, dieser guten Seite wegen,
An dieser Geckerei zu nehmen? He?
Das nicht?
N a t h a n. Al-Hafi, mache, daß du bald
In deine Wüste wieder kömmst. Ich fürchte,
Grad' unter Menschen möchtest du ein Mensch
Zu sein verlernen.
D e r w i s c h.   Recht, das fürcht' ich auch.
Lebt wohl!
N a t h a n. So hastig? — Warte doch, Al-Hafi.
Entläuft dir denn die Wüste? — Warte doch! —
Daß er mich hörte! — He, Al-Hafi! hier! —
Weg ist er; und ich hätt' ihn noch so gern
Nach unserm Tempelherrn gefragt. Vermutlich,
Daß er ihn kennt.

VIERTER AUFTRITT

Daja eilig herbei. Nathan.

D a j a.   O Nathan, Nathan!
N a t h a n.   Nun?
Was gibt's?
D a j a.   Er läßt sich wieder sehn! Er läßt
Sich wieder sehn!
N a t h a n. Wer, Daja? wer?
D a j a.   Er! er!
N a t h a n.
Er? Er? — Wann läßt sich *der* nicht sehn! — Ja so,
Nur euer Er heißt er. — Das sollt' er nicht!
Und wenn er auch ein Engel wäre, nicht!

D a j a. Er wandelt untern Palmen wieder auf
  Und ab; und bricht von Zeit zu Zeit sich Datteln.
N a t h a n. Sie essend? — und als Tempelherr?
D a j a.   Was quält
  Ihr mich? — Ihr gierig Aug' erriet ihn hinter
  Den dicht verschränkten Palmen schon; und folgt
  Ihm unverrückt. Sie läßt Euch bitten, — Euch
  Beschwören, — ungesäumt ihn anzugehn.
  O eilt! Sie wird Euch aus dem Fenster winken,
  Ob er hinaufgeht oder weiter ab
  Sich schlägt. O eilt!
N a t h a n.   So wie ich vom Kamele
  Gestiegen? — Schickt sich das? — Geh, eile du
  Ihm zu; und meld' ihm meine Wiederkunft.
  Gib acht, der Biedermann hat nur mein Haus
  In meinem Absein nicht betreten wollen;
  Und kömmt nicht ungern, wenn der Vater selbst
  Ihn laden läßt. Geh, sag', ich lass' ihn bitten,
  Ihn herzlich bitten . . .
D a j a.   All umsonst! Er kömmt
  Euch nicht. — Denn kurz; er kömmt zu keinem Juden.
N a t h a n.
  So geh, geh wenigstens ihn anzuhalten;
  Ihn wenigstens mit deinen Augen zu
  Begleiten. — Geh, ich komme gleich dir nach.
          (Nathan eilet hinein, und Daja heraus.)

FÜNFTER AUFTRITT

Szene: ein Platz mit Palmen, unter welchen der Tempel-
herr auf und nieder geht. Ein Klosterbruder folgt ihm
in einiger Entfernung von der Seite, immer als ob er ihn
anreden wolle.
T e m p e l h e r r.
  Der folgt mir nicht vor langer Weile! — Sieh,
  Wie schielt er nach den Händen! — Guter Bruder, . . .
  Ich kann Euch auch wohl Vater nennen; nicht?
K l o s t e r b r u d e r.
  Nur Bruder — Laienbruder nur; zu dienen.

Tempelherr.
Ja, guter Bruder, wer nur selbst was hätte!
Bei Gott! bei Gott! Ich habe nichts —
Klosterbruder.   Und doch
Recht warmen Dank! Gott geb' Euch tausendfach,
Was Ihr gern geben wolltet. Denn der Wille
Und nicht die Gabe macht den Geber. — Auch
Ward ich dem Herrn Almosens wegen gar
Nicht nachgeschickt.
Tempelherr.   Doch aber nachgeschickt?
Klosterbruder.
Ja; aus dem Kloster.
Tempelherr.   Wo ich eben jetzt
Ein kleines Pilgermahl zu finden hoffte?
Klosterbruder.
Die Tische waren schon besetzt; komm' aber
Der Herr nur wieder mit zurück.
Tempelherr.   Wozu?
Ich habe Fleisch wohl lange nicht gegessen:
Allein was tut's? Die Datteln sind ja reif.
Klosterbruder.
Nehm' sich der Herr in acht mit dieser Frucht.
Zu viel genossen taugt sie nicht; verstopft
Die Milz; macht melancholisches Geblüt.
Tempelherr.
Wenn ich nun melancholisch gern mich fühlte? —
Doch dieser Warnung wegen wurdet Ihr
Mir doch nicht nachgeschickt?
Klosterbruder.   O nein! — Ich soll
Mich nur nach Euch erkunden; auf den Zahn
Euch fühlen.
Tempelherr. Und das sagt Ihr mir so selbst?
Klosterbruder.
Warum nicht?
Tempelherr. (Ein verschmitzter Bruder!) — Hat
Das Kloster Euresgleichen mehr?
Klosterbruder.   Weiß nicht.
Ich muß gehorchen, lieber Herr.
Tempelherr.   Und da
Gehorcht Ihr denn auch ohne viel zu klügeln?

Klosterbruder.
  Wär's sonst gehorchen, lieber Herr?
Tempelherr.   (Daß doch
  Die Einfalt immer Recht behält!) — Ihr dürft
  Mir doch auch wohl vertrauen, wer mich gern
  Genauer kennen möchte? — Daß Ihr's selbst
  Nicht seid, will ich wohl schwören.
Klosterbruder.   Ziemte mir's?
  Und frommte mir's?
Tempelherr.   Wem ziemt und frommt es denn,
  Daß er so neubegierig ist? Wem denn?
Klosterbruder.
  Dem Patriarchen; muß ich glauben. — Denn
  Der sandte mich Euch nach.
Tempelherr.   Der Patriarch?
  Kennt der das rote Kreuz auf weißem Mantel
  Nicht besser?
Klosterbruder.
            Kenn' ja ich's!
Tempelherr.   Nun, Bruder? nun? —
  Ich bin ein Tempelherr; und ein gefangner. —
  Setz' ich hinzu: gefangen bei Tebnin,
  Der Burg, die mit des Stillstands letzter Stunde
  Wir gern erstiegen hätten, um sodann
  Auf Sidon loszugehn; — setz' ich hinzu:
  Selbzwanzigster gefangen und allein
  Vom Saladin begnadigt: so weiß
  Der Patriarch, was er zu wissen braucht; —
  Mehr, als er braucht.
Klosterbruder. Wohl aber schwerlich mehr,
  Als er schon weiß. — Er wüßt' auch gern, warum
  Der Herr vom Saladin begnadigt worden;
  Er ganz allein.
Tempelherr. Weiß ich das selber? — Schon
  Den Hals entblößt, kniet' ich auf meinem Mantel,
  Den Streich erwartend: als mich schärfer Saladin
  Ins Auge faßt, mir näher springt, und winkt.
  Man hebt mich auf; ich bin entfesselt; will
  Ihm danken; seh' sein Aug' in Tränen: stumm
  Ist er, bin ich; er geht, ich bleibe. — Wie

Nun das zusammenhängt, enträts'le sich
Der Patriarche selbst.
K l o s t e r b r u d e r.   Er schließt daraus,
Daß Gott zu großen, großen Dingen Euch
Müss' aufgehalten haben.
T e m p e l h e r r.   Ja, zu großen!
Ein Judenmädchen aus dem Feur zu retten;
Auf Sinai neugier'ge Pilger zu
Geleiten; und dergleichen mehr.
K l o s t e r b r u d e r.   Wird schon
Noch kommen! — Ist inzwischen auch nicht übel. —
Vielleicht hat selbst der Patriarch bereits
Weit wicht'gere Geschäfte für den Herrn.
T e m p e l h e r r.
So? meint Ihr, Bruder? — Hat er gar Euch schon
Was merken lassen?
K l o s t e r b r u d e r. Ei, jawohl! — Ich soll
Den Herrn nur erst ergründen, ob er so
Der Mann wohl ist.
T e m p e l h e r r.   Nun ja; ergründet nur!
(Ich will doch sehn, wie der ergründet!) — Nun?
K l o s t e r b r u d e r.
Das Kürzste wird wohl sein, daß ich dem Herrn
Ganz gradezu des Patriarchen Wunsch
Eröffne.
T e m p e l h e r r. Wohl!
K l o s t e r b r u d e r.   Er hätte durch den Herrn
Ein Briefchen gern bestellt.
T e m p e l h e r r.   Durch mich? Ich bin
Kein Bote. — Das, das wäre das Geschäft,
Das weit glorreicher sei, als Judenmädchen
Dem Feur entreißen?
K l o s t e r b r u d e r.   Muß doch wohl! Denn — sagt
Der Patriarch — an diesem Briefchen sei
Der ganzen Christenheit sehr viel gelegen.
Dies Briefchen wohl bestellt zu haben, — sagt
Der Patriarch, — werd' einst im Himmel Gott
Mit einer ganz besondern Krone lohnen.
Und dieser Krone, — sagt der Patriarch, —
Sei niemand würd'ger, als mein Herr.

Tempelherr.   Als ich?
Klosterbruder.
  Denn diese Krone zu verdienen, — sagt
  Der Patriarch, — sei schwerlich jemand auch
  Geschickter, als mein Herr.
Tempelherr.   Als ich?
Klosterbruder.   Er sei
  Hier frei; könn' überall sich hier besehn;
  Versteh', wie eine Stadt zu stürmen und
  Zu schirmen; könne, — sagt der Patriarch, —
  Die Stärk' und Schwäche der von Saladin
  Neu aufgeführten, innern, zweiten Mauer
  Am besten schätzen, sie am deutlichsten
  Den Streitern Gottes, — sagt der Patriarch, —
  Beschreiben.
Tempelherr.
              Guter Bruder, wenn ich doch
  Nun auch des Briefchens nähern Inhalt wüßte.
Klosterbruder.
  Ja den, — den weiß ich nun wohl nicht so recht.
  Das Briefchen aber ist an König Philipp. —
  Der Patriarch ... Ich hab' mich oft gewundert,
  Wie doch ein Heiliger, der sonst so ganz
  Im Himmel lebt, zugleich so unterrichtet
  Von Dingen dieser Welt zu sein herab
  Sich lassen kann. Es muß ihm sauer werden.
Tempelherr.
  Nun dann? der Patriarch? —
Klosterbruder.   Weiß ganz genau,
  Ganz zuverlässig, wie und wo, wie stark,
  Von welcher Seite Saladin, im Fall
  Es völlig wieder losgeht, seinen Feldzug
  Eröffnen wird.
Tempelherr. Das weiß er?
Klosterbruder.   Ja, und möcht'
  Es gern dem König Philipp wissen lassen:
  Damit der ungefähr ermessen könne,
  Ob die Gefahr denn gar so schrecklich, um
  Mit Saladin den Waffenstillestand,
  Den Euer Orden schon so brav gebrochen,

Es koste was es wolle, wieder her
Zu stellen.
Tempelherr.
          Welch ein Patriarch! — Ja so!
Der liebe tapfre Mann will mich zu keinem
Gemeinen Boten; will mich — zum Spion. —
Sagt Euerm Patriarchen, guter Bruder,
Soviel Ihr mich ergründen können, wär'
Das meine Sache nicht. — Ich müsse mich
Noch als Gefangenen betrachten; und
Der Tempelherren einziger Beruf
Sei mit dem Schwerte dreinzuschlagen, nicht
Kundschafterei zu treiben.
Klosterbruder.   Dacht' ich's doch! —
Will's auch dem Herrn nicht eben sehr verübeln. —
Zwar kömmt das Beste noch. — Der Patriarch
Hiernächst hat ausgegattert, wie die Feste
Sich nennt, und wo auf Libanon sie liegt,
In der die ungeheuern Summen stecken,
Mit welchen Saladins vorsicht'ger Vater
Das Heer besoldet, und die Zurüstungen
Des Kriegs bestreitet. Saladin verfügt
Von Zeit zu Zeit auf abgelegnen Wegen
Nach dieser Feste sich, nur kaum begleitet. —
Ihr merkt doch?
Tempelherr. Nimmermehr!
Klosterbruder.   Was wäre da
Wohl leichter, als des Saladins sich zu
Bemächtigen? den Garaus ihm zu machen? —
Ihr schaudert? — O es haben schon ein paar
Gottsfürcht'ge Maroniten sich erboten,
Wenn nur ein wackrer Mann sie führen wolle,
Das Stück zu wagen.
Tempelherr.   Und der Patriarch
Hätt' auch zu diesem wackern Manne mich
Ersehn?
Klosterbruder.
          Er glaubt, daß König Philipp wohl
Von Ptolemais aus die Hand hierzu
Am besten bieten könne.

Tempelherr.   Mir? mir, Bruder?
   Mir? Habt Ihr nicht gehört? nur erst gehört,
   Was für Verbindlichkeit dem Saladin
   Ich habe?
Klosterbruder.
          Wohl hab' ich's gehört.
Tempelherr.   Und doch?
Klosterbruder.
   Ja, — meint der Patriarch, — das wär' schon gut:
   Gott aber und der Orden ...
Tempelherr.   Ändern nichts!
   Gebieten mir kein Bubenstück!
Klosterbruder.   Gewiß nicht! —
   Nur, — meint der Patriarch, — sei Bubenstück
   Vor Menschen, nicht auch Bubenstück vor Gott.
Tempelherr.
   Ich wär' dem Saladin mein Leben schuldig:
   Und raubt' ihm seines?
Klosterbruder.   Pfui! — Doch bliebe, — meint
   Der Patriarch, — noch immer Saladin
   Ein Feind der Christenheit, der Euer Freund
   Zu sein, kein Recht erwerben könne.
Tempelherr.   Freund?
   An dem ich bloß nicht will zum Schurken werden;
   Zum undankbaren Schurken?
Klosterbruder.   Allerdings! —
   Zwar, — meint der Patriarch, — des Dankes sei
   Man quitt, vor Gott und Menschen quitt, wenn uns
   Der Dienst um unsertwillen nicht geschehen.
   Und da verlauten wolle, — meint der Patriarch, —
   Daß Euch nur darum Saladin begnadet,
   Weil ihm in Eurer Mien', in Euerm Wesen
   So was von seinem Bruder eingeleuchtet ...
Tempelherr.
   Auch dieses weiß der Patriarch; und doch? —
   Ah! wäre das gewiß! Ah, Saladin! —
   Wie? die Natur hätt' auch nur *einen* Zug
   Von mir in deines Bruders Form gebildet:
   Und dem entspräche nichts in meiner Seele?
   Was dem entspräche, könnt' ich unterdrücken,

Um einem Patriarchen zu gefallen? —
Natur, so leugst du nicht! So widerspricht
Sich Gott in seinen Werken nicht! — Geht, Bruder! —
Erregt mir meine Galle nicht! — Geht! geht!
K l o s t e r b r u d e r.
  Ich geh'; und geh' vergnügter, als ich kam.
  Verzeihe mir der Herr. Wir Klosterleute
  Sind schuldig, unsern Obern zu gehorchen.

SECHSTER AUFTRITT

Der Tempelherr und Daja, die den Tempelherrn schon
eine Zeitlang von weiten beobachtet hatte und sich nun
ihm nähert.

D a j a. Der Klosterbruder, wie mich dünkt, ließ in
  Der besten Laun' ihn nicht. — Doch muß ich mein
  Paket nur wagen.
T e m p e l h e r r.   Nun, vortrefflich! — Lügt
  Das Sprichwort wohl: daß Mönch und Weib, und Weib
  Und Mönch des Teufels beide Krallen sind?
  Er wirft mich heut aus einer in die andre.
D a j a.
  Was seh' ich? — Edler Ritter, Euch? — Gott Dank!
  Gott tausend Dank! — Wo habt Ihr denn
  Die ganze Zeit gesteckt? — Ihr seid doch wohl
  Nicht krank gewesen?
T e m p e l h e r r.   Nein.
D a j a.   Gesund doch?
T e m p e l h e r r.   Ja.
D a j a. Wir waren Euertwegen wahrlich ganz
  Bekümmert.
T e m p e l h e r r. So?
D a j a.   Ihr wart gewiß verreist?
T e m p e l h e r r.
  Erraten!
D a j a.   Und kamt heut erst wieder?
T e m p e l h e r r.   Gestern.
D a j a. Auch Rechas Vater ist heut angekommen.
  Und nun darf Recha doch wohl hoffen?

Tempelherr.   Was?

D a j a. Warum sie Euch so öfters bitten lassen.
 Ihr Vater ladet Euch nun selber bald
 Aufs dringlichste. Er kömmt von Babylon.
 Mit zwanzig hochbeladenen Kamelen,
 Und allem, was an edeln Spezereien,
 An Steinen und an Stoffen, Indien
 Und Persien und Syrien, gar Sina,
 Kostbares nur gewähren.

Tempelherr.   Kaufe nichts.

D a j a. Sein Volk verehret ihn als einen Fürsten.
 Doch daß es ihn den Weisen Nathan nennt
 Und nicht vielmehr den Reichen, hat mich oft
 Gewundert.

Tempelherr. Seinem Volk ist reich und weise
 Vielleicht das Nämliche.

D a j a.   Vor allen aber
 Hätt's ihn den Guten nennen müssen. Denn
 Ihr stellt Euch gar nicht vor, wie gut er ist.
 Als er erfuhr, wie viel Euch Recha schuldig:
 Was hätt', in diesem Augenblicke, nicht
 Er alles Euch getan, gegeben!

Tempelherr.   Ei!

D a j a. Versucht's und kommt und seht!

Tempelherr.   Was denn? wie schnell
 Ein Augenblick vorüber ist?

D a j a.   Hätt' ich,
 Wenn er so gut nicht wär', es mir so lange
 Bei ihm gefallen lassen? Meint Ihr etwa,
 Ich fühle meinen Wert als Christin nicht?
 Auch mir ward's vor der Wiege nicht gesungen,
 Daß ich nur darum meinem Ehgemahl
 Nach Palästina folgen würd', um da
 Ein Judenmädchen zu erziehn. Es war
 Mein lieber Ehgemahl ein edler Knecht
 In Kaiser Friedrichs Heere —

Tempelherr.   Von Geburt
 Ein Schweizer, dem die Ehr' und Gnade ward,
 Mit Seiner Kaiserlichen Majestät
 In einem Flusse zu ersaufen. — Weib!

Wie vielmal habt Ihr mir das schon erzählt?
Hört Ihr denn gar nicht auf mich zu verfolgen?
D a j a. Verfolgen! lieber Gott!
T e m p e l h e r r.   Ja, ja, verfolgen.
Ich will nun einmal Euch nicht weiter sehn!
Nicht hören! Will von Euch an eine Tat
Nicht fort und fort erinnert sein, bei der
Ich nichts gedacht; die, wenn ich drüber denke,
Zum Rätsel von mir selbst mir wird. Zwar möcht'
Ich sie nicht gern bereuen. Aber seht;
Ereignet so ein Fall sich wieder: Ihr
Seid schuld, wenn ich so rasch nicht handle; wenn
Ich mich vorher erkund' — und brennen lasse,
Was brennt.
D a j a.   Bewahre Gott!
T e m p e l h e r r.   Von heut' an tut
Mir den Gefallen wenigstens, und kennt
Mich weiter nicht. Ich bitt' Euch drum. Auch laßt
Den Vater mir vom Halse. Jud' ist Jude.
Ich bin ein plumper Schwab. Des Mädchens Bild
Ist längst aus meiner Seele; wenn es je
Da war.
D a j a.   Doch Eures ist aus ihrer nicht.
T e m p e l h e r r.
Was soll's nun aber da? was soll's?
D a j a.   Wer weiß!
Die Menschen sind nicht immer, was sie scheinen.
T e m p e l h e r r. Doch selten etwas Bessers. *(Er geht.)*
D a j a.   Wartet doch!
Was eilt Ihr?
T e m p e l h e r r. Weib, macht mir die Palmen nicht
Verhaßt, worunter ich so gern sonst wandle.
D a j a. So geh, du deutscher Bär! so geh! — Und doch
Muß ich die Spur des Tieres nicht verlieren.
(Sie geht ihm von weiten nach.)

ZWEITER AUFZUG

ERSTER AUFTRITT

(Die Szene: des Sultans Palast.)

Saladin und Sittah spielen Schach.

Sittah. Wo bist du, Saladin? Wie spielst du heut?
Saladin.
  Nicht gut? Ich dächte doch.
Sittah.   Für mich; und kaum.
  Nimm diesen Zug zurück.
Saladin.   Warum?
Sittah.   Der Springer
  Wird unbedeckt.
Saladin.   Ist wahr. Nun so!
Sittah.   So zieh'
  Ich in die Gabel.
Saladin.   Wieder wahr. — Schach dann!
Sittah. Was hilft dir das? Ich setze vor: und du
  Bist, wie du warst.
Saladin.   Aus dieser Klemme seh'
  Ich wohl, ist ohne Buße nicht zu kommen.
  Mag's! nimm den Springer nur.
Sittah.   Ich will ihn nicht.
  Ich geh' vorbei.
Saladin.   Du schenkst mir nichts. Dir liegt
  An diesem Plane mehr, als an dem Springer.
Sittah. Kann sein.
Saladin.   Mach' deine Rechnung nur nicht ohne
  Den Wirt. Denn sieh! Was gilt's, das warst du nicht
  Vermuten?
Sittah.   Freilich nicht. Wie konnt' ich auch
  Vermuten, daß du deiner Königin
  So müde wärst?
Saladin.   Ich meiner Königin?

Sittah.
  Ich seh' nun schon: ich soll heut meine tausend
  Dinar', kein Naserinchen mehr gewinnen.
Saladin.
  Wie so?
Sittah. Frag' noch! — Weil du mit Fleiß, mit aller
  Gewalt verlieren willst. — Doch dabei find'
  Ich meine Rechnung nicht. Denn außer, daß
  Ein solches Spiel das unterhaltendste
  Nicht ist: gewann ich immer nicht am meisten
  Mit dir, wenn ich verlor? Wenn hast du mir
  Den Satz, mich des verlornen Spieles wegen
  Zu trösten, doppelt nicht hernach geschenkt?
Saladin. Ei sieh! so hättest *du* ja wohl, wenn du
  Verlorst, mit Fleiß verloren, Schwesterchen?
Sittah. Zum wenigsten kann gar wohl sein, daß deine
  Freigebigkeit, mein liebes Brüderchen,
  Schuld ist, daß ich nicht besser spielen lernen.
Saladin.
  Wir kommen ab vom Spiele. Mach' ein Ende!
Sittah.
  So bleibt es? Nun dann: Schach! und doppelt Schach!
Saladin. Nun freilich; dieses Abschach hab' ich nicht
  Gesehn, das meine Königin zugleich
  Mit niederwirft.
Sittah.   War dem noch abzuhelfen?
  Laß sehn.
Saladin. Nein, nein; nimm nur die Königin.
  Ich war mit diesem Steine nie recht glücklich.
Sittah. Bloß mit dem Steine?
Saladin.   Fort damit! — Das tut
  Mir nichts. Denn so ist alles wiederum
  Geschützt.
Sittah.   Wie höflich man mit Königinnen
  Verfahren müsse: hat mein Bruder mich
  Zu wohl gelehrt. *(Sie läßt sie stehen.)*
Saladin.   Nimm, oder nimm sie nicht!
  Ich habe keine mehr.
Sittah.   Wozu sie nehmen?
  Schach! — Schach!

3 Lessing, Nathan

Saladin. Nur weiter.
Sittah.   Schach! — und Schach! — und Schach! —
Saladin.
    Und matt!
Sittah.   Nicht ganz; du ziehst den Springer noch
    Dazwischen; oder was du machen willst.
    Gleichviel!
Saladin. Ganz recht! — Du hast gewonnen: und
    Al-Hafi zahlt. — Man lass' ihn rufen! gleich! —
    Du hattest, Sittah, nicht so unrecht; ich
    War nicht so ganz beim Spiele; war zerstreut.
    Und dann: wer gibt uns denn die glatten Steine
    Beständig? die an nichts erinnern, nichts
    Bezeichnen. Hab' ich mit dem Iman denn
    Gespielt? — Doch was? Verlust will Vorwand. Nicht
    Die ungeformten Steine, Sittah, sind's,
    Die mich verlieren machten: deine Kunst,
    Dein ruhiger und schneller Blick ...
Sittah.   Auch so
    Willst du den Stachel des Verlusts nur stumpfen.
    Genug, du warst zerstreut; und mehr als ich.
Saladin. Als du? Was hätte *dich* zerstreuet?
Sittah.   Deine
    Zerstreuung freilich nicht! — O Saladin,
    Wenn werden wir so fleißig wieder spielen.
Saladin. So spielen wir um so viel gieriger! —
    Ah! weil es wieder losgeht, meinst du? — Mag's —
    Nur zu! — Ich habe nicht zuerst gezogen;
    Ich hätte gern den Stillestand aufs neue
    Verlängert; hätte meiner Sittah gern,
    Gern einen guten Mann zugleich verschafft.
    Und das muß Richards Bruder sein: er ist
    Ja Richards Bruder.
Sittah.   Wenn du deinen Richard
    Nur loben kannst!
Saladin.   Wenn unserm Bruder Melek
    Dann Richards Schwester wär' zu Teile worden:
    Ha! welch ein Haus zusammen! Ha, der ersten,
    Der besten Häuser in der Welt das beste! —
    Du hörst, ich bin mich selbst zu loben, auch

Nicht faul. Ich dünk' mich meiner Freunde wert. —
Das hätte Menschen geben sollen! das!
Sittah.
Hab' ich des schönen Traums nicht gleich gelacht?
Du kennst die Christen nicht, willst sie nicht kennen.
Ihr Stolz ist: Christen sein; nicht Menschen. Denn
Selbst das, was, noch von ihrem Stifter her,
Mit Menschlichkeit den Aberglauben würzt,
Das lieben sie, nicht weil es menschlich ist:
Weil's Christus lehrt; weil's Christus hat getan. —
Wohl ihnen, daß er so ein guter Mensch
Noch war! Wohl ihnen, daß sie seine Tugend
Auf Treu' und Glaube nehmen können! — Doch
Was Tugend? — Seine Tugend nicht; sein Name
Soll überall verbreitet werden; soll
Die Namen aller guten Menschen schänden,
Verschlingen. Um den Namen, um den Namen
Ist ihnen nur zu tun.
Saladin.   Du meinst: warum
Sie sonst verlangen würden, daß auch ihr,
Auch du und Melek, Christen hießet, eh'
Als Ehgemahl ihr Christen lieben wolltet?
Sittah.
Jawohl! Als wär' von Christen nur, als Christen,
Die Liebe zu gewärtigen, womit
Der Schöpfer Mann und Männin ausgestattet!
Saladin. Die Christen glauben mehr Armseligkeiten,
Als daß sie *die* nicht auch noch glauben könnten!
Und gleichwohl irrst du dich. — Die Tempelherren,
Die Christen nicht, sind schuld: sind nicht, als Christen,
Als Tempelherren schuld. Durch die allein
Wird aus der Sache nichts. Sie wollen Acca,
Das Richards Schwester unserm Bruder Melek
Zum Brautschatz bringen müßte, schlechterdings
Nicht fahren lassen. Daß des Ritters Vorteil
Gefahr nicht laufe, spielen sie den Mönch,
Den albern Mönch. Und ob vielleicht im Fluge
Ein guter Streich gelänge: haben sie
Des Waffenstillestandes Ablauf kaum
Erwarten können. — Lustig! Nur so weiter!

Ihr Herren, nur so weiter! — Mir schon recht! —
Wär' alles sonst nur, wie es müßte.
S i t t a h.   Nun?
Was irrte dich denn sonst? Was könnte sonst
Dich aus der Fassung bringen?
S a l a d i n.   Was von je
Mich immer aus der Fassung hat gebracht. —
Ich war auf Libanon, bei unserm Vater.
Er unterliegt den Sorgen noch...
S i t t a h.   O weh!
S a l a d i n.
Er kann nicht durch; es klemmt sich allerorten;
Es fehlt bald da, bald dort —
S i t t a h.   Was klemmt? was fehlt?
S a l a d i n.
Was sonst, als was ich kaum zu nennen würd'ge?
Was, wenn ich's habe, mir so überflüssig,
Und hab' ich's nicht, so unentbehrlich scheint. —
Wo bleibt Al-Hafi denn? Ist niemand nach
Ihm aus? — Das leidige, verwünschte Geld! —
Gut, Hafi, daß du kömmst.

ZWEITER AUFTRITT

Der Derwisch Al-Hafi. Saladin. Sittah.

A l - H a f i.   Die Gelder aus
Ägypten sind vermutlich angelangt.
Wenn's nur fein viel ist.
S a l a d i n.   Hast du Nachricht?
A l - H a f i.   Ich?
Ich nicht. Ich denke, daß ich hier sie in
Empfang soll nehmen.
S a l a d i n.   Zahl' an Sittah tausend
Dinare! *(In Gedanken hin und her gehend.)*
A l - H a f i. Zahl'! anstatt empfang! O schön!
Das ist für Was noch weniger als Nichts. —
An Sittah? — wiederum an Sittah? Und
Verloren? — wiederum im Schach verloren? —
Da steht es noch das Spiel!

S i t t a h.   Du gönnst mir doch
  Mein Glück?
A l - H a f i *(das Spiel betrachtend).*
                  Was gönnen? Wenn — Ihr wißt ja wohl.
S i t t a h *(ihm winkend).*
  Bst! Hafi! bst!
A l - H a f i *(noch auf das Spiel gerichtet).*
                  Gönnt's Euch nur selber erst!
S i t t a h. Al-Hafi; bst!
A l - H a f i *(zu Sittah).* Die Weißen waren Euer?
  Ihr bietet Schach?
S i t t a h.   Gut, daß er nichts gehört.
A l - H a f i.
  Nun ist der Zug an ihm?
S i t t a h *(ihm nähertretend).* So sage doch,
  Daß ich mein Geld bekommen kann.
A l - H a f i *(noch auf das Spiel geheftet).* Nun ja;
  Ihr sollt's bekommen, wie Ihr's stets bekommen.
S i t t a h.
  Wie? bist du toll?
A l - H a f i.   Das Spiel ist ja nicht aus.
  Ihr habt ja nicht verloren, Saladin.
S a l a d i n *(kaum hinhörend).*
  Doch! doch! Bezahl'! bezahl'!
A l - H a f i.   Bezahl'! bezahl'!
  Da steht ja Eure Königin.
S a l a d i n *(noch so).*   Gilt nicht;
  Gehört nicht mehr ins Spiel.
S i t t a h.   So mach' und sag',
  Daß ich das Geld mir nur kann holen lassen.
A l - H a f i *(noch immer in das Spiel vertieft).*
  Versteht sich, so wie immer. — Wenn auch schon;
  Wenn auch die Königin nichts gilt: Ihr seid
  Doch darum noch nicht matt.
S a l a d i n *(tritt hinzu und wirft das Spiel um).*
                              Ich bin es; will
  Es sein.
A l - H a f i. Ja so! — Spiel wie Gewinst! So wie
  Gewonnen, so bezahlt.
S a l a d i n *(zu Sittah).* Was sagt er? was?

S i t t a h *(von Zeit zu Zeit dem Hafi winkend)*.
  Du kennst ihn ja. Er sträubt sich gern; läßt gern
  Sich bitten; ist wohl gar ein wenig neidisch. —
S a l a d i n.
  Auf dich doch nicht? Auf meine Schwester nicht? —
  Was hör' ich, Hafi? Neidisch? du?
A l - H a f i.   Kann sein!
  Kann sein! — Ich hätt' ihr Hirn wohl lieber selbst;
  Wär' lieber selbst so gut, als sie.
S i t t a h.   Indes
  Hat er doch immer richtig noch bezahlt.
  Und wird auch heut bezahlen. Laß ihn nur! —
  Geh nur, Al-Hafi, geh! Ich will das Geld
  Schon holen lassen.
A l - H a f i.   Nein; ich spiele länger
  Die Mummerei nicht mit. Er muß es doch
  Einmal erfahren.
S a l a d i n.   Wer? und was?
S i t t a h.   Al-Hafi!
  Ist dieses dein Versprechen? Hältst du so
  Mir Wort?
A l - H a f i. Wie konnt' ich glauben, daß es so
  Weit gehen würde.
S a l a d i n.   Nun? erfahr' ich nichts?
S i t t a h. Ich bitte dich, Al-Hafi; sei bescheiden.
S a l a d i n. Das ist doch sonderbar! Was könnte Sittah
  So feierlich, so warm bei einem Fremden,
  Bei einem Derwisch lieber, als bei mir,
  Bei ihrem Bruder, sich verbitten wollen.
  Al-Hafi, nun befehl' ich. — Rede, Derwisch!
S i t t a h. Laß eine Kleinigkeit, mein Bruder, dir
  Nicht näher treten, als sie würdig ist.
  Du weißt, ich habe zu verschiednen Malen
  Dieselbe Summ' im Schach von dir gewonnen.
  Und weil ich itzt das Geld nicht nötig habe;
  Weil itzt in Hafis Kasse doch das Geld
  Nicht eben allzuhäufig ist: so sind
  Die Posten stehn geblieben. Aber sorgt
  Nur nicht! Ich will sie weder dir, mein Bruder,
  Noch Hafi, noch der Kasse schenken.

Al-Hafi. Ja,
Wenn's das nur wäre! das!

Sittah. Und mehr dergleichen. —
Auch das ist in der Kasse stehn geblieben,
Was du mir einmal ausgeworfen; ist
Seit wenig Monden stehn geblieben.

Al-Hafi. Noch
Nicht alles.

Saladin. Noch nicht? — Wirst du reden?

Al-Hafi. Seit aus Ägypten wir das Geld erwarten,
Hat sie ...

Sittah *(zu Saladin).* Wozu ihn hören?

Al-Hafi. Nicht nur nichts
Bekommen ...

Saladin. Gutes Mädchen! — Auch beiher
Mit vorgeschossen. Nicht?

Al-Hafi. Den ganzen Hof
Erhalten; Euern Aufwand ganz allein
Bestritten.

Saladin. Ha! das, das ist meine Schwester!
(Sie umarmend.)

Sittah. Wer hatte, dies zu können, mich so reich
Gemacht, als du, mein Bruder?

Al-Hafi. Wird schon auch
So bettelarm sie wieder machen, als
Er selber ist.

Saladin. Ich arm? der Bruder arm?
Wenn hab' ich mehr? wenn weniger gehabt? —
Ein Kleid, Ein Schwert, Ein Pferd, — und Einen Gott!
Was brauch' ich mehr? Wenn kann's an dem mir fehlen?
Und doch, Al-Hafi, könnt' ich mit dir schelten.

Sittah.
Schilt nicht, mein Bruder. Wenn ich unserm Vater
Auch seine Sorgen so erleichtern könnte!

Saladin. Ah! Ah! Nun schlägst du meine Freudigkeit
Auf einmal wieder nieder! — Mir, für mich
Fehlt nichts, und kann nichts fehlen. Aber ihm,
Ihm fehlet; und in ihm uns allen. — Sagt,
Was soll ich machen? — Aus Ägypten kommt
Vielleicht noch lange nichts. Woran das liegt,

Weiß Gott. Es ist doch da noch alles ruhig. —
Abbrechen, einziehn, sparen, will ich gern,
Mir gern gefallen lassen; wenn es mich,
Bloß mich betrifft; bloß mich, und niemand sonst
Darunter leidet. — Doch was kann das machen?
Ein Pferd, Ein Kleid, Ein Schwert, muß ich doch
                          haben.
Und meinem Gott ist auch nichts abzudingen.
Ihm gnügt schon so mit wenigem genug;
Mit meinem Herzen. — Auf den Überschuß
Von deiner Kasse, Hafi, hatt' ich sehr
Gerechnet.

A l - H a f i. Überschuß? — Sagt selber, ob
Ihr mich nicht hättet spießen, wenigstens
Mich drosseln lassen, wenn auf Überschuß
Ich von Euch wär' ergriffen worden. Ja,
Auf Unterschleif! das war zu wagen.

S a l a d i n.   Nun,
Was machen wir denn aber? — Konntest du
Vorerst bei niemand andern borgen, als
Bei Sittah?

S i t t a h.   Würd' ich dieses Vorrecht, Bruder,
Mir haben nehmen lassen? Mir von ihm?
Auch noch besteh' ich drauf. Noch bin ich auf
Dem Trocknen völlig nicht.

S a l a d i n.   Nur völlig nicht!
Das fehlte noch! — Geh gleich, mach' Anstalt, Hafi!
Nimm auf bei wem du kannst! und wie du kannst!
Geh, borg', versprich. — Nur, Hafi, borge nicht
Bei denen, die ich reich gemacht. Denn borgen
Von diesen, möchte wiederfordern heißen.
Geh zu den Geizigsten; die werden mir
Am liebsten leihen. Denn sie wissen wohl,
Wie gut ihr Geld in meinen Händen wuchert.

A l - H a f i. Ich kenne deren keine.

S i t t a h.   Eben fällt
Mir ein, gehört zu haben, Hafi, daß
Dein Freund zurückgekommen.

A l - H a f i *(betroffen)*.   Freund? mein Freund?
Wer wär' denn das?

Sittah.   Dein hochgepriesner Jude.

Al-Hafi. Gepriesner Jude? hoch von mir?

Sittah.   Dem Gott, —
Mich denkt des Ausdrucks noch recht wohl, des einst
Du selber dich von ihm bedientest, — dem
Sein Gott von allen Gütern dieser Welt
Das Kleinst' und Größte so in vollem Maß
Erteilet habe. —

Al-Hafi.   Sagt' ich so? — Was meint'
Ich denn damit?

Sittah.   Das Kleinste: Reichtum. Und
Das Größte: Weisheit.

Al-Hafi.   Wie? von einem Juden?
Von einem Juden hätt' ich das gesagt?

Sittah. Das hättest du von deinem Nathan nicht
Gesagt?

Al-Hafi. Ja so! von dem! vom Nathan! — Fiel
Mir der doch gar nicht bei. — Wahrhaftig? Der
Ist endlich wieder heim gekommen? Ei!
So mag's doch gar so schlecht mit ihm nicht stehn. —
Ganz recht: den nannt' einmal das Volk den Weisen!
Den Reichen auch.

Sittah.   Den Reichen nennt es ihn
Itzt mehr als je. Die ganze Stadt erschallt,
Was für Kostbarkeiten, was für Schätze
Er mitgebracht.

Al-Hafi.   Nun, ist's der Reiche wieder:
So wird's auch wohl der Weise wieder sein.

Sittah.
Was meinst du, Hafi, wenn du diesen angingst?

Al-Hafi.
Und was bei ihm? — Doch wohl nicht borgen? — Ja,
Da kennt Ihr ihn. — Er borgen! — Seine Weisheit
Ist eben, daß er niemand borgt.

Sittah.   Du hast
Mir sonst doch ganz ein ander Bild von ihm
Gemacht.

Al-Hafi. Zur Not wird er Euch Waren borgen.
Geld aber, Geld? Geld nimmermehr. — Es ist
Ein Jude freilich übrigens, wie's nicht

Viel Juden gibt. Er hat Verstand; er weiß
Zu leben; spielt gut Schach. Doch zeichnet er
Im Schlechten sich nicht minder, als im Guten
Von allen andern Juden aus. — Auf den,
Auf den nur rechnet nicht. — Den Armen gibt
Er zwar; und gibt vielleicht trotz Saladin.
Wenn schon nicht ganz so viel; doch ganz so gern;
Doch ganz so sonder Ansehn. Jud' und Christ
Und Muselmann und Parsi, alles ist
Ihm eins.
S i t t a h.   Und so ein Mann ...
S a l a d i n.   Wie kommt es denn,
  Daß ich von diesem Manne nie gehört? ...
S i t t a h. Der sollte Saladin nicht borgen? nicht
  Dem Saladin, der nur für andre braucht,
  Nicht sich?
A l - H a f i. Da seht nun gleich den Juden wieder;
  Den ganz gemeinen Juden! — Glaubt mir's doch! —
  Er ist aufs Geben Euch so eifersüchtig,
  So neidisch! Jedes *Lohn von Gott*, das in
  Der Welt gesagt wird, zög' er lieber ganz
  Allein. Nur darum eben leiht er keinem,
  Damit er stets zu geben habe. Weil
  Die Mild' ihm im Gesetz geboten; die
  Gefälligkeit ihm aber nicht geboten: macht
  Die Mild' ihn zu dem ungefälligsten
  Gesellen auf der Welt. Zwar bin ich seit
  Geraumer Zeit ein wenig übern Fuß
  Mit ihm gespannt; doch denkt nur nicht, daß ich
  Ihm darum nicht Gerechtigkeit erzeige.
  Er ist zu allem gut: bloß dazu nicht;
  Bloß dazu wahrlich nicht. Ich will auch gleich
  Nur gehn, an andre Türen klopfen ... Da
  Besinn' ich mich soeben eines Mohren,
  Der reich und geizig ist. — Ich geh'; ich geh'.
S i t t a h. Was eilst du, Hafi?
S a l a d i n.   Laß ihn! laß ihn!

DRITTER AUFTRITT

Sittah. Saladin.

Sittah.   Eilt
  Er doch, als ob er mir nur gern entkäme!
  Was heißt das? — Hat er wirklich sich in ihm
  Betrogen, oder — möcht' er uns nur gern
  Betrügen?
Saladin. Wie? das fragst du mich? Ich weiß
  Ja kaum, von wem die Rede war; und höre
  Von euerm Juden, euerm Nathan heut
  Zum erstenmal.
Sittah.   Ist's möglich? daß ein Mann
  Dir so verborgen blieb, von dem es heißt,
  Er habe Salomons und Davids Gräber
  Erforscht, und wisse deren Siegel durch
  Ein mächtiges geheimes Wort zu lösen?
  Aus ihnen bring' er dann von Zeit zu Zeit
  Die unermeßlichen Reichtümer an
  Den Tag, die keinen mindern Quell verrieten.
Saladin.
  Hat seinen Reichtum dieser Mann aus Gräbern,
  So waren's sicherlich nicht Salomons,
  Nicht Davids Gräber. Narren lagen da
  Begraben!
Sittah.   Oder Bösewichter! — Auch
  Ist seines Reichtums Quelle weit ergiebiger,
  Weit unerschöpflicher, als so ein Grab
  Voll Mammon.
Saladin.   Denn er handelt; wie ich hörte.
Sittah. Sein Saumtier treibt auf allen Straßen, zieht
  Durch alle Wüsten; seine Schiffe liegen
  In allen Häfen. Das hat mir wohl eh'
  Al-Hafi selbst gesagt; und voll Entzücken
  Hinzugefügt, wie groß, wie edel dieser
  Sein Freund anwende, was so klug und emsig
  Er zu erwerben für zu klein nicht achte:
  Hinzugefügt, wie frei von Vorurteilen
  Sein Geist; sein Herz wie offen jeder Tugend,
  Wie eingestimmt mit jeder Schönheit sei.

S a l a d i n. Und itzt sprach Hafi doch so ungewiß,
　　So kalt von ihm.
S i t t a h.　　　　　 Kalt nun wohl nicht; verlegen.
　　Als halt’ er’s für gefährlich, ihn zu loben,
　　Und woll’ ihn unverdient doch auch nicht tadeln. —
　　Wie? oder wär’ es wirklich so, daß selbst
　　Der Beste seines Volkes seinem Volke
　　Nicht ganz entfliehen kann? daß wirklich sich
　　Al-Hafi seines Freunds von dieser Seite
　　Zu schämen hätte? — Sei dem, wie ihm wolle! —
　　Der Jude sei mehr oder weniger
　　Als Jud’, ist er nur reich: genug für uns!
S a l a d i n. Du willst ihm aber doch das Seine mit
　　Gewalt nicht nehmen, Schwester?
S i t t a h.　　　　　　　　　　 Ja, was heißt
　　Bei dir Gewalt? Mit Feur und Schwert? Nein, nein,
　　Was braucht es mit den Schwachen für Gewalt,
　　Als ihre Schwäche? — Komm vor itzt nur mit
　　In meinen Haram, eine Sängerin
　　Zu hören, die ich gestern erst gekauft.
　　Es reift indes bei mir vielleicht ein Anschlag,
　　Den ich auf diesen Nathan habe. — Komm!

VIERTER AUFTRITT

*(Szene: vor dem Hause des Nathan, wo es an die Palmen
stößt.)*

Recha und Nathan kommen heraus. Zu ihnen Daja.

R e c h a. Ihr habt Euch sehr verweilt, mein Vater. Er
　　Wird kaum noch mehr zu treffen sein.
N a t h a n.　　　　　　　　　　 Nun, nun;
　　Wenn hier, hier untern Palmen schon nicht mehr:
　　Doch anderwärts. — Sei itzt nur ruhig. — Sieh!
　　Kömmt dort nicht Daja auf uns zu?
R e c h a.　　　　　　　　　 Sie wird
　　Ihn ganz gewiß verloren haben.
N a t h a n.　　　　　　　　 Auch
　　Wohl nicht.

R e c h a.   Sie würde sonst geschwinder kommen.
N a t h a n. Sie hat uns wohl noch nicht gesehn ...
R e c h a.   Nun sieht
    Sie uns.
N a t h a n. Und doppelt ihre Schritte. Sieh! —
    Sei doch nur ruhig! ruhig!
R e c h a.   Wolltet Ihr
    Wohl eine Tochter, die hier ruhig wäre?
    Sich unbekümmert ließe, wessen Wohltat
    Ihr Leben sei? Ihr Leben, — das ihr nur
    So lieb, weil sie es Euch zuerst verdanket.
N a t h a n. Ich möchte dich nicht anders, als du bist:
    Auch wenn ich wüßte, daß in deiner Seele
    Ganz etwas anders noch sich rege.
R e c h a.   Was,
    Mein Vater?
N a t h a n.   Fragst du mich? so schüchtern mich?
    Was auch in deinem Innern vorgeht, ist
    Natur und Unschuld. Laß es keine Sorge
    Dir machen. Mir, mir macht es keine. Nur
    Versprich mir: wenn dein Herz vernehmlicher
    Sich einst erklärt, mir seiner Wünsche keinen
    Zu bergen.
R e c h a.   Schon die Möglichkeit, mein Herz
    Euch lieber zu verhüllen, macht mich zittern.
N a t h a n.
    Nichts mehr hiervon! Das ein für allemal
    Ist abgetan. — Da ist ja Daja. — Nun?
D a j a. Noch wandelt er hier untern Palmen; und
    Wird gleich um jene Mauer kommen. — Seht,
    Da kömmt er!
R e c h a.   Ah! und scheinet unentschlossen,
    Wohin? ob weiter? ob hinab? ob rechts?
    Ob links?
D a j a.   Nein, nein; er macht den Weg ums Kloster
    Gewiß noch öfter; und dann muß er hier
    Vorbei. — Was gilt's?
R e c h a.   Recht! recht! — Hast du ihn schon
    Gesprochen? Und wie ist er heut?
D a j a.   Wie immer.

Nathan.
　So macht nur, daß er Euch hier nicht gewahr
　Wird. Tretet mehr zurück. Geht lieber ganz
　Hinein.
Recha. Nur einen Blick noch! — Ah! die Hecke,
　Die mir ihn stiehlt.
Daja.　　　　　　Kommt! kommt! Der Vater hat
　Ganz recht. Ihr lauft Gefahr, wenn er Euch sieht,
　Daß auf der Stell' er umkehrt.
Recha.　　　　　　　　　　Ah! die Hecke!
Nathan.
　Und kömmt er plötzlich dort aus ihr hervor:
　So kann er anders nicht, er muß Euch sehn.
　Drum geht doch nur!
Daja.　　　　　Kommt! kommt! Ich weiß ein Fenster,
　Aus dem wir sie bemerken können.
Recha.　　　　　　　　　　　　　Ja?
　　　　　　　(Beide hinein.)

FÜNFTER AUFTRITT

Nathan und bald darauf der Tempelherr.

Nathan.
　Fast scheu' ich mich des Sonderlings. Fast macht
　Mich seine rauhe Tugend stutzen. Daß
　Ein Mensch doch einen Menschen so verlegen
　Soll machen können! — Ha! er kömmt. — Bei Gott!
　Ein Jüngling wie ein Mann. Ich mag ihn wohl
　Den guten, trotz'gen Blick! den prallen Gang!
　Die Schale kann nur bitter sein: der Kern
　Ist's sicher nicht. — Wo sah ich doch dergleichen? —
　Verzeihet, edler Franke . . .
Tempelherr.　　　　　　Was?
Nathan.　　　　　　　　　　Erlaubt . . .
Tempelherr. Was, Jude? was?
Nathan.　　　　　　　　　Daß ich mich untersteh',
　Euch anzureden.
Tempelherr.　Kann ich's wehren? Doch
　Nur kurz.

Nathan.   Verzieht, und eilet nicht so stolz,
  Nicht so verächtlich einem Mann vorüber,
  Den Ihr auf ewig Euch verbunden habt.
Tempelherr.
  Wie das? — Ah, fast errat' ich's. Nicht? Ihr seid ...
Nathan. Ich heiße Nathan; bin des Mädchens Vater,
  Das Eure Großmut aus dem Feur gerettet;
  Und komme ...
Tempelherr. Wenn zu danken: — spart's! Ich hab'
  Um diese Kleinigkeit des Dankes schon
  Zu viel erdulden müssen. — Vollends Ihr,
  Ihr seid mir gar nichts schuldig. Wußt' ich denn,
  Daß dieses Mädchen Eure Tochter war?
  Es ist der Tempelherren Pflicht, dem ersten
  Dem besten beizuspringen, dessen Not
  Sie sehn. Mein Leben war mir ohnedem
  In diesem Augenblicke lästig. Gern,
  Sehr gern ergriff ich die Gelegenheit,
  Es für ein andres Leben in die Schanze
  Zu schlagen: für ein andres — wenn's auch nur
  Das Leben einer Jüdin wäre.
Nathan.   Groß!
  Groß und abscheulich! — Doch die Wendung läßt
  Sich denken. Die bescheidne Größe flüchtet
  Sich hinter das Abscheuliche, um der
  Bewundrung auszuweichen. — Aber wenn
  Sie so das Opfer der Bewunderung
  Verschmäht: was für ein Opfer denn verschmäht
  Sie minder? — Ritter, wenn Ihr hier nicht fremd
  Und nicht gefangen wäret, würd' ich Euch
  So dreist nicht fragen. Sagt, befehlt: womit
  Kann man Euch dienen?
Tempelherr.   Ihr? Mit nichts.
Nathan.   Ich bin
  Ein reicher Mann.
Tempelherr.   Der reichre Jude war
  Mir nie der beßre Jude.
Nathan.   Dürft Ihr denn
  Darum nicht nützen, was demungeachtet
  Er Beßres hat? nicht seinen Reichtum nützen?

Tempelherr.
    Nun gut, das will ich auch nicht ganz verreden;
    Um meines Mantels willen nicht. Sobald
    Der ganz und gar verschlissen; weder Stich
    Noch Fetze länger halten will: komm' ich
    Und borge mir bei Euch zu einem neuen,
    Tuch oder Geld. — Seht nicht mit eins so finster!
    Noch seid Ihr sicher; noch ist's nicht so weit
    Mit ihm. Ihr seht; er ist so ziemlich noch
    Im Stande. Nur der eine Zipfel da
    Hat einen garst'gen Fleck; er ist versengt.
    Und das bekam er, als ich Eure Tochter
    Durchs Feuer trug.
Nathan (der nach dem Zipfel greift und ihn be-
    trachtet).   Es ist doch sonderbar,
    Daß so ein böser Fleck, daß so ein Brandmal
    Dem Mann ein beßres Zeugnis redet, als
    Sein eigner Mund. Ich möcht' ihn küssen gleich —
    Den Flecken! — Ah, verzeiht! — Ich tat es ungern.
Tempelherr. Was?
Nathan.   Eine Träne fiel darauf.
Tempelherr.   Tut nichts!
    Er hat der Tropfen mehr. — (Bald aber fängt
    Mich dieser Jud' an zu verwirren.)
Nathan.   Wärt
    Ihr wohl so gut, und schicket Euern Mantel
    Auch einmal meinem Mädchen?
Tempelherr.   Was damit?
Nathan.
    Auch ihren Mund an diesen Fleck zu drücken.
    Denn Eure Kniee selber zu umfassen,
    Wünscht sie nun wohl vergebens.
Tempelherr.   Aber, Jude —
    Ihr heißet Nathan? — Aber, Nathan — Ihr
    Setzt Eure Worte sehr — sehr gut — sehr spitz —
    Ich bin betreten — Allerdings — ich hätte . . .
Nathan.
    Stellt und verstellt Euch, wie Ihr wollt. Ich find'
    Auch hier Euch aus. Ihr wart zu gut, zu bieder,
    Um höflicher zu sein. — Das Mädchen, ganz

 Gefühl; der weibliche Gesandte, ganz
 Dienstfertigkeit; der Vater weit entfernt —
 Ihr trugt für ihren guten Namen Sorge;
 Floht ihre Prüfung; floht, um nicht zu siegen.
 Auch dafür dank' ich Euch —
T e m p e l h e r r.   Ich muß gestehn,
 Ihr wißt, wie Tempelherren denken sollten.
N a t h a n. Nur Tempelherren? *sollten* bloß? und bloß
 Weil es die Ordensregeln so gebieten?
 Ich weiß, wie gute Menschen denken; weiß,
 Daß alle Länder gute Menschen tragen.
T e m p e l h e r r.
 Mit Unterschied, doch hoffentlich?
N a t h a n.   Jawohl;
 An Farb', an Kleidung, an Gestalt verschieden.
T e m p e l h e r r.
 Auch hier bald mehr, bald weniger, als dort.
N a t h a n. Mit diesem Unterschied ist's nicht weit her.
 Der große Mann braucht überall viel Boden;
 Und mehrere, zu nah gepflanzt, zerschlagen
 Sich nur die Äste. Mittelgut, wie wir,
 Find't sich hingegen überall in Menge.
 Nur muß der eine nicht den andern mäkeln.
 Nur muß der Knorr den Knuppen hübsch vertragen.
 Nur muß ein Gipfelchen sich nicht vermessen,
 Daß es allein der Erde nicht entschossen.
T e m p e l h e r r.
 Sehr wohl gesagt! — Doch kennt Ihr auch das Volk,
 Das diese Menschenmäkelei zuerst
 Getrieben? Wißt Ihr, Nathan, welches Volk
 Zuerst das auserwählte Volk sich nannte?
 Wie? wenn ich dieses Volk nun, zwar nicht haßte,
 Doch wegen seines Stolzes zu verachten,
 Mich nicht entbrechen könnte? Seines Stolzes;
 Den es auf Christ und Muselmann vererbte,
 Nur sein Gott sei der rechte Gott! — Ihr stutzt,
 Daß ich, ein Christ, ein Tempelherr, so rede?
 Wenn hat, und wo die fromme Raserei,
 Den bessern Gott zu haben, diesen bessern
 Der ganzen Welt als besten aufzudringen,

> In ihrer schwärzesten Gestalt sich mehr
> Gezeigt, als hier, als itzt? Wem hier, wem itzt
> Die Schuppen nicht vom Auge fallen ... Doch
> Sei blind, wer will! — Vergeßt, was ich gesagt;
> Und laßt mich! *(Will gehen.)*

N a t h a n.   Ha! Ihr wißt nicht, wie viel fester
Ich nun mich an Euch drängen werde. — Kommt,
Wir müssen, müssen Freunde sein! — Verachtet
Mein Volk so sehr Ihr wollt. Wir haben beide
Uns unser Volk nicht auserlesen. Sind
Wir unser Volk? Was heißt denn Volk?
Sind Christ und Jude eher Christ und Jude,
Als Mensch? Ah! wenn ich einen mehr in Euch
Gefunden hätte, dem es gnügt, ein Mensch
Zu heißen!

T e m p e l h e r r. Ja, bei Gott, das habt Ihr, Nathan!
Das habt Ihr! — Eure Hand! — Ich schäme mich,
Euch einen Augenblick verkannt zu haben.

N a t h a n Und ich bin stolz darauf. Nur das Gemeine
Verkennt man selten.

T e m p e l h e r r.   Und das Seltene
Vergißt man schwerlich. — Nathan, ja;
Wir müssen, müssen Freunde werden.

N a t h a n.   Sind
Es schon. — Wie wird sich meine Recha freuen! —
Und ah! welch eine heitre Ferne schließt
Sich meinen Blicken auf! — Kennt sie nur erst.

T e m p e l h e r r.
Ich brenne vor Verlangen — Wer stürzt dort
Aus Euerm Hause? Ist's nicht ihre Daja?

N a t h a n. Jawohl. So ängstlich?

T e m p e l h e r r.   Unsrer Recha ist
Doch nichts begegnet?

SECHSTER AUFTRITT

Die Vorigen und Daja eilig.

D a j a.   Nathan! Nathan!
N a t h a n.   Nun?
D a j a. Verzeihet, edler Ritter, daß ich Euch
  Muß unterbrechen.
N a t h a n.   Nun, was ist's?
T e m p e l h e r r.   Was ist's?
D a j a. Der Sultan hat geschickt. Der Sultan will
  Euch sprechen. Gott, der Sultan!
N a t h a n.   Mich? der Sultan?
  Er wird begierig sein, zu sehen, was
  Ich Neues mitgebracht. Sag' nur, es sei
  Noch wenig oder gar nichts ausgepackt.
D a j a.
  Nein, nein; er will nichts sehen; will Euch sprechen,
  Euch in Person, und bald; sobald Ihr könnt.
N a t h a n. Ich werde kommen. — Geh nur wieder, geh!
D a j a. Nehmt ja nicht übel auf, gestrenger Ritter —
  Gott, wir sind so bekümmert, was der Sultan
  Doch will.
N a t h a n. Das wird sich zeigen. Geh nur, geh!

SIEBENTER AUFTRITT

Nathan und der Tempelherr.

T e m p e l h e r r.
  So kennt Ihr ihn noch nicht? — ich meine, von
  Person.
N a t h a n. Den Saladin? Noch nicht. Ich habe
  Ihn nicht vermieden, nicht gesucht zu kennen.
  Der allgemeine Ruf sprach viel zu gut
  Von ihm, daß ich nicht lieber glauben wollte,
  Als sehn. Doch nun, — wenn anders dem so ist, —
  Hat er durch Sparung Eures Lebens . . .
T e m p e l h e r r.   Ja;
  Dem allerdings ist so. Das Leben, das
  Ich leb', ist sein Geschenk.

N a t h a n.   Durch das er mir
  Ein doppelt, dreifach Leben schenkte. Dies
  Hat alles zwischen uns verändert; hat
  Mit eins ein Seil mir umgeworfen, das
  Mich seinem Dienst auf ewig fesselt. Kaum,
  Und kaum, kann ich es nun erwarten, was
  Er mir zuerst befehlen wird. Ich bin
  Bereit zu allem; bin bereit ihm zu
  Gestehn, daß ich es Euertwegen bin.

T e m p e l h e r r.
  Noch hab' ich selber ihm nicht danken können:
  So oft ich auch ihm in den Weg getreten.
  Der Eindruck, den ich auf ihn machte, kam
  So schnell, als schnell er wiederum verschwunden.
  Wer weiß, ob er sich meiner gar erinnert.
  Und dennoch muß er, einmal wenigstens,
  Sich meiner noch erinnern, um mein Schicksal
  Ganz zu entscheiden. Nicht genug, daß ich
  Auf sein Geheiß noch bin, *mit* seinem Willen
  Noch leb': ich muß nun auch von ihm erwarten,
  Nach wessen Willen ich zu leben habe.

N a t h a n.
  Nicht anders; um so mehr will ich nicht säumen. —
  Es fällt vielleicht ein Wort, das mir, auf Euch
  Zu kommen, Anlaß gibt. — Erlaubt, verzeiht —
  Ich eile — Wenn, wenn aber sehn wir Euch
  Bei uns?

T e m p e l h e r r.
          Sobald ich darf.

N a t h a n.   Sobald Ihr wollt.

T e m p e l h e r r. Noch heut.

N a t h a n.   Und Euer Name? — muß ich bitten.

T e m p e l h e r r.
  Mein Name war — ist Curd von Stauffen. — Curd!

N a t h a n.
  Von Stauffen? — Stauffen? — Stauffen?

T e m p e l h e r r.   Warum fällt
  Euch das so auf?

N a t h a n.   Von Stauffen? — Des Geschlechts
  Sind wohl noch mehrere ...

Tempelherr.   O ja! hier waren,
  Hier faulen des Geschlechts schon mehrere.
  Mein Oheim selbst, — mein Vater will ich sagen, —
  Doch warum schärft sich Euer Blick auf mich
  Je mehr und mehr?
Nathan.   O nichts! o nichts! Wie kann
  Ich Euch zu sehn ermüden?
Tempelherr.   Drum verlass'
  Ich Euch zuerst. Der Blick des Forschers fand
  Nicht selten mehr, als er zu finden wünschte.
  Ich fürcht' ihn, Nathan. Laßt die Zeit allmählich,
  Und nicht die Neugier, unsre Kundschaft machen.
  (Er geht.)
Nathan *(der ihm mit Erstaunen nachsieht).*
  „Der Forscher fand nicht selten mehr, als er
  zu finden wünschte." — Ist es doch, als ob
  In meiner Seel' er lese! — Wahrlich ja;
  Das könnt' auch mir begegnen. — Nicht allein
  Wolfs Wuchs, Wolfs Gang: auch seine Stimme. So,
  Vollkommen so, warf Wolf sogar den Kopf;
  Trug Wolf sogar das Schwert im Arm'; strich Wolf
  Sogar die Augenbraunen mit der Hand,
  Gleichsam das Feuer seines Blicks zu bergen. —
  Wie solche tiefgeprägte Bilder doch
  Zu Zeiten in uns schlafen können, bis
  Ein Wort, ein Laut sie weckt. — Von Stauffen! —
  Ganz recht, ganz recht; Filnek und Stauffen. —
  Ich will das bald genauer wissen; bald.
  Nur erst zum Saladin. — Doch wie? lauscht dort
  Nicht Daja? — Nun so komm nur näher, Daja.

ACHTER AUFTRITT

Daja. Nathan.

Nathan.
  Was gilt's? nun drückt's euch beiden schon das Herz,
  Noch ganz was anders zu erfahren, als
  Was Saladin mir will.
Daja.   Verdenkt Ihr's ihr?

    Ihr fingt soeben an, vertraulicher
    Mit ihm zu sprechen: als des Sultans Botschaft
    Uns von dem Fenster scheuchte.
N a t h a n.   Nun, so sag'
    Ihr nur, daß sie ihn jeden Augenblick
    Erwarten darf.
D a j a.   Gewiß? gewiß?
N a t h a n.   Ich kann
    Mich doch auf dich verlassen, Daja? Sei
    Auf deiner Hut; ich bitte dich. Es soll
    Dich nicht gereuen. Dein Gewissen selbst
    Soll seine Rechnung dabei finden. Nur
    Verdirb mir nichts in meinem Plane. Nur
    Erzähl' und frage mit Bescheidenheit,
    Mit Rückhalt ...
D a j a.   Daß Ihr doch noch erst so was
    Erinnern könnt! — Ich geh'; geht Ihr nur auch.
    Denn seht! ich glaube gar, da kömmt vom Sultan
    Ein zweiter Bot', Al-Hafi, Euer Derwisch. *(Geht ab.)*

NEUNTER AUFTRITT

Nathan. Al-Hafi.

A l - H a f i. Ha! ha! zu Euch wollt' ich nun eben wieder.
N a t h a n. Ist's denn so eilig? Was verlangt er denn
    Von mir?
A l - H a f i. Wer?
N a t h a n.   Saladin. — Ich komm', ich komme.
A l - H a f i. Zu wem? Zum Saladin?
N a t h a n.   Schickt Saladin
    Dich nicht?
A l - H a f i. Mich? nein. Hat er denn schon geschickt?
N a t h a n. Ja freilich hat er.
A l - H a f i.   Nun, so ist es richtig.
N a t h a n.
    Was? was ist richtig?
A l - H a f i.   Daß ... ich bin nicht schuld;
    Gott weiß, ich bin nicht schuld. — Was hab' ich nicht
    Von Euch gesagt, gelogen, um es abzuwenden!

N a t h a n. Was abzuwenden? Was ist richtig?
A l - H a f i.   Daß
  Nun Ihr sein Defterdar geworden. Ich
  Bedaur' Euch. Doch mit ansehn will ich's nicht.
  Ich geh' von Stund' an; geh'. Ihr habt es schon
  Gehört, wohin; und wißt den Weg. — Habt Ihr
  Des Wegs was zu bestellen, sagt: ich bin
  Zu Diensten. Freilich muß es mehr nicht sein,
  Als was ein Nackter mit sich schleppen kann.
  Ich geh', sagt bald.
N a t h a n.   Besinn' dich doch, Al-Hafi.
  Besinn' dich, daß ich noch von gar nichts weiß.
  Was plauderst du denn da?
A l - H a f i.   Ihr bringt sie doch
  Gleich mit, die Beutel?
N a t h a n.   Beutel?
A l - H a f i.   Nun, das Geld,
  Das Ihr dem Saladin vorschießen sollt.
N a t h a n. Und weiter ist es nichts?
A l - H a f i.   Ich sollt' es wohl
  Mit ansehn, wie er Euch von Tag zu Tag
  Aushöhlen wird bis auf die Zehen? Sollt'
  Es wohl mit ansehn, daß Verschwendung aus
  Der weisen Milde sonst nie leeren Scheuern
  So lange borgt, und borgt, und borgt, bis auch
  Die armen eingebornen Mäuschen drin
  Verhungern? — Bildet Ihr vielleicht Euch ein,
  Wer Euers Gelds bedürftig sei, der werde
  Doch Euerm Rate wohl auch folgen? — Ja;
  Er Rate folgen! Wenn hat Saladin
  Sich raten lassen? — Denkt nur, Nathan, was
  Mir eben itzt mit ihm begegnet.
N a t h a n.   Nun?
A l - H a f i. Da komm' ich zu ihm, eben daß er Schach
  Gespielt mit seiner Schwester. Sittah spielt
  Nicht übel; und das Spiel, das Saladin
  Verloren glaubte, schon gegeben hatte,
  Das stand noch ganz so da. Ich seh' Euch hin,
  Und sehe, daß das Spiel noch lange nicht
  Verloren.

Nathan. Ei! das war für dich ein Fund!
Al - Hafi. Er durfte mit dem König an den Bauer
  Nur rücken, auf ihr Schach. — Wenn ich's Euch gleich
  Nur zeigen könnte!
Nathan.   O ich traue dir!
Al - Hafi. Denn so bekam der Roche Feld: und sie
  War hin. — Das alles will ich ihm nun weisen
  Und ruf' ihn. — Denkt! . . .
Nathan.   Er ist nicht deiner Meinung?
Al - Hafi.
  Er hört mich gar nicht an, und wirft verächtlich
  Das ganze Spiel in Klumpen.
Nathan.   Ist das möglich?
Al - Hafi. Und sagt: er wolle matt nun einmal sein;
  Er wolle! Heißt das spielen?
Nathan.   Schwerlich wohl;
  Heißt mit dem Spielen spielen.
Al - Hafi.   Gleichwohl galt
  Es keine taube Nuß.
Nathan.   Geld hin, Geld her!
  Das ist das wenigste. Allein dich gar
  Nicht anzuhören! über einen Punkt
  Von solcher Wichtigkeit dich nicht einmal
  Zu hören! deinen Adlerblick nicht zu
  Bewundern! das, das schreit um Rache; nicht?
Al - Hafi. Ach was! Ich sag' Euch das nur, damit
  Ihr sehen könnt, was für ein Kopf er ist.
  Kurz, ich, ich halt's mit ihm nicht länger aus.
  Da lauf' ich nun bei allen schmutz'gen Mohren
  Herum, und frage, wer ihm borgen will.
  Ich, der ich nie für mich gebettelt habe,
  Soll nun für andre borgen. Borgen ist
  Viel besser nicht als betteln: so wie leihen,
  Auf Wucher leihen, nicht viel besser ist,
  Als stehlen. Unter meinen Ghebern, an
  Dem Ganges, brauch' ich beides nicht, und brauche
  Das Werkzeug beider nicht zu sein. Am Ganges,
  Am Ganges nur gibt's Menschen. Hier seid Ihr
  Der einzige, der noch so würdig wäre,
  Daß er am Ganges lebte. — Wollt Ihr mit? —

Laßt ihm mit eins den Plunder ganz im Stiche,
Um den es ihm zu tun. Er bringt Euch nach
Und nach doch drum. So wär' die Plackerei
Auf einmal aus. Ich schaff' Euch einen Delk.
Kommt! kommt!

N a t h a n.   Ich dächte zwar, das blieb' uns ja
Noch immer übrig. Doch, Al-Hafi, will
Ich's überlegen. Warte . . .

A l - H a f i.   Überlegen?
Nein, so was überlegt sich nicht.

N a t h a n.   Nur bis
Ich von dem Sultan wiederkomme; bis
Ich Abschied erst . . .

A l - H a f i.   Wer überlegt, der sucht
Bewegungsgründe, nicht zu dürfen. Wer
Sich Knall und Fall, ihm selbst zu leben, nicht
Entschließen kann, der lebet andrer Sklav'
Auf immer. — Wie Ihr wollt! — Lebt wohl! wie's Euch
Wohl dünkt. — Mein Weg liegt dort; und Eurer da.

N a t h a n. Al-Hafi! Du wirst selbst doch erst das Deine
Berichtigen?

A l - H a f i.   Ach Possen! Der Bestand
Von meiner Kass' ist nicht des Zählens wert;
Und meine Rechnung bürgt — Ihr oder Sittah.
Lebt wohl! *(Ab.)*

N a t h a n *(ihm nachsehend)*.
            Die bürg' ich! — Wilder, guter, edler —:
Wie nenn' ich ihn? — Der wahre Bettler ist
Doch einzig und allein der wahre König!
(Von einer andern Seite ab.)

DRITTER AUFZUG

ERSTER AUFTRITT

(Szene: in Nathans Hause.)
Recha und Daja.

R e c h a. Wie, Daja, drückte sich mein Vater aus?
„Ich dürf' ihn jeden Augenblick erwarten?"
Das klingt — nicht wahr? — als ob er noch so bald
Erscheinen werde. — Wie viel Augenblicke
Sind aber schon vorbei! — Ah nun: wer denkt
An die verflossenen? — Ich will allein
In jedem nächsten Augenblicke leben.
Er wird doch einmal kommen, der ihn bringt.
D a j a. O der verwünschten Botschaft von dem Sultan!
Denn Nathan hätte sicher ohne sie
Ihn gleich mit hergebracht.
R e c h a.   Und wenn er nun
Gekommen, dieser Augenblick; wenn denn
Nun meiner Wünsche wärmster, innigster
Erfüllet ist: was dann? — was dann?
D a j a.   Was dann?
Dann hoff' ich, daß auch meiner Wünsche wärmster
Soll in Erfüllung gehen.
R e c h a.   Was wird dann
In meiner Brust an dessen Stelle treten,
Die schon verlernt, ohn' einen herrschenden
Wunsch aller Wünsche sich zu dehnen? — Nichts?
Ah, ich erschrecke! . . .
D a j a.   Mein, mein Wunsch wird dann
An des erfüllten Stelle treten; meiner.
Mein Wunsch, dich in Europa, dich in Händen
Zu wissen, welche deiner würdig sind.
R e c h a.
Du irrst. — Was diesen Wunsch zu deinem macht,

Das nämliche verhindert, daß er meiner
Je werden kann. Dich zieht dein Vaterland:
Und meines, meines sollte mich nicht halten?
Ein Bild der Deinen, das in deiner Seele
Noch nicht verloschen, sollte mehr vermögen,
Als die ich sehn, und greifen kann, und hören,
Die Meinen?

D a j a.   Sperre dich, soviel du willst!
Des Himmels Wege sind des Himmels Wege.
Und wenn es nun dein Retter selber wäre,
Durch den sein Gott, für den er kämpft, dich in
Das Land, dich zu dem Volke führen wollte,
Für welche du geboren wurdest?

R e c h a.   Daja!
Was sprichst du da nun wieder, liebe Daja!
Du hast doch wahrlich deine sonderbaren
Begriffe! „Sein, sein Gott! für den er kämpft!“
Wem eignet Gott? was ist das für ein Gott,
Der einem Menschen eignet? der für sich
Muß kämpfen lassen? — Und wie weiß
Man denn, *für* welchen Erdkloß man geboren,
Wenn man's für den nicht ist, *auf* welchem man
Geboren? — Wenn mein Vater dich so hörte! —
Was tat er dir, mir immer nur mein Glück
So weit von ihm als möglich vorzuspiegeln?
Was tat er dir, den Samen der Vernunft,
Den er so rein in meine Seele streute,
Mit deines Landes Unkraut oder Blumen
So gern zu mischen? — Liebe, liebe Daja,
Er will nun deine bunten Blumen nicht
Auf meinem Boden! — Und ich muß dir sagen,
Ich selber fühle meinen Boden, wenn
Sie noch so schön ihn kleiden, so entkräftet,
So ausgezehrt durch deine Blume; fühle
In ihrem Dufte, sauersüßem Dufte,
Mich so betäubt, so schwindelnd! — Dein Gehirn
Ist dessen mehr gewohnt. Ich tadle drum
Die stärkern Nerven nicht, die ihn vertragen.
Nur schlägt er mir nicht zu; und schon dein Engel,
Wie wenig fehlte, daß er mich zur Närrin

    Gemacht? — Noch schäm' ich mich vor meinem Vater
    Der Posse!
D a j a.   Posse! — Als ob der Verstand
    Nur hier zu Hause wäre! Posse! Posse!
    Wenn ich nur reden dürfte!
R e c h a.   Darfst du nicht?
    Wenn war ich nicht ganz Ohr, so oft es dir
    Gefiel, von deinen Glaubenshelden mich
    Zu unterhalten? Hab' ich ihren Taten
    Nicht stets Bewunderung; und ihren Leiden
    Nicht immer Tränen gern gezollt? Ihr Glaube
    Schien freilich mir das Heldenmäßigste
    An ihnen nie. Doch so viel tröstender
    War mir die Lehre, daß Ergebenheit
    In Gott von unserm Wähnen über Gott
    So ganz und gar nicht abhängt. — Liebe Daja,
    Das hat mein Vater uns so oft gesagt;
    Darüber hast du selbst mit ihm so oft
    Dich einverstanden: warum untergräbst
    Du denn allein, was du mit ihm zugleich
    Gebauet? — Liebe Daja, das ist kein
    Gespräch, womit wir unserm Freund' am besten
    Entgegensehn. Für mich zwar, ja! Denn mir,
    Mir liegt daran unendlich, ob auch er . . .
    Horch, Daja! — Kommt es nicht an unsre Türe?
    Wenn Er es wäre! horch!

ZWEITER AUFTRITT

*Recha. Daja und der Tempelherr, dem jemand von außen
die Türe öffnet, mit den Worten:*

              Nur hier herein!

R e c h a *(fährt zusammen, faßt sich und will ihm zu
    Füßen fallen).*
    Er ist's! — Mein Retter, ah!
T e m p e l h e r r.   Dies zu vermeiden
    Erschien ich bloß so spät: und doch —
R e c h a.   Ich will
    Ja zu den Füßen dieses stolzen Mannes

Nur Gott noch einmal danken; nicht dem Manne.
Der Mann will keinen Dank; will ihn so wenig
Als ihn der Wassereimer will, der bei
Dem Löschen so geschäftig sich erwiesen.
Der ließ sich füllen, ließ sich leeren, mir
Nichts, dir nichts: also auch der Mann. Auch der
Ward nur so in die Glut hineingestoßen;
Da fiel ich ungefähr ihm in den Arm;
Da blieb ich ungefähr, so wie ein Funken
Auf seinem Mantel, ihm in seinen Armen;
Bis wiederum, ich weiß nicht was, uns beide
Herausschmiß aus der Glut. — Was gibt es da
Zu danken? — In Europa treibt der Wein
Zu noch weit andern Taten. — Tempelherren,
Die müssen einmal nun so handeln; müssen
Wie etwas besser zugelernte Hunde,
Sowohl aus Feuer, als aus Wasser holen.

Tempelherr *(der sie mit Erstaunen und Unruhe die*
Zeit über betrachtet).
O Daja, Daja! Wenn in Augenblicken
Des Kummers und der Galle, meine Laune
Dich übel anließ, warum jede Torheit,
Die meiner Zung' entfuhr, ihr hinterbringen?
Das hieß sich zu empfindlich rächen, Daja!
Doch wenn du nur von nun an besser mich
Bei ihr vertreten willst.

Daja.   Ich denke, Ritter,
Ich denke nicht, daß diese kleinen Stacheln,
Ihr an das Herz geworfen, Euch da sehr
Geschadet haben.

Recha.   Wie? Ihr hattet Kummer?
Und wart mit Euerm Kummer geiziger
Als Euerm Leben?

Tempelherr.   Gutes, holdes Kind! —
Wie ist doch meine Seele zwischen Auge
Und Ohr geteilt! — Das war das Mädchen nicht,
Nein, nein, das war es nicht, das aus dem Feuer
Ich holte. — Denn wer hätte die gekannt,
Und aus dem Feuer nicht geholt? Wer hätte
Auf mich gewartet? — Zwar — verstellt — der Schreck.

*(Pause, unter der er, in Anschauung ihrer, sich wie
verliert.)*

R e c h a. Ich aber find' Euch noch den nämlichen. —
*(Dergleichen; bis sie fortfährt, um ihn in seinem
Anstaunen zu unterbrechen.)*
Nun, Ritter, sagt uns doch, wo Ihr so lange
Gewesen? — Fast dürft' ich auch fragen: wo
Ihr itzo seid?

T e m p e l h e r r. Ich bin, — wo ich vielleicht
Nicht sollte sein. —

R e c h a.   Wo Ihr gewesen? — Auch
Wo Ihr vielleicht nicht solltet sein gewesen?
Das ist nicht gut.

T e m p e l h e r r. Auf — auf — wie heißt der Berg?
Auf Sinai.

R e c h a.   Auf Sinai? — Ah schön!
Nun kann ich zuverlässig doch einmal
Erfahren, ob es wahr . . .

T e m p e l h e r r.   Was? was? Ob's wahr,
Daß noch daselbst der Ort zu sehn, wo Moses
Vor Gott gestanden, als . . .

R e c h a.   Nun das wohl nicht.
Denn wo er stand, stand er vor Gott. Und davon
Ist mir zur Gnüge schon bekannt. — Ob's wahr,
Möcht' ich nur gern von Euch erfahren, daß —
Daß es bei weitem nicht so mühsam sei,
Auf diesen Berg hinauf zu steigen, als
Herab? — Denn seht; soviel ich Berge noch
Gestiegen bin, war's just das Gegenteil. —
Nun, Ritter? — Was? — Ihr kehrt Euch von mir ab?
Wollt mich nicht sehn?

T e m p e l h e r r.   Weil ich Euch hören will.

R e c h a. Weil Ihr mich nicht wollt merken lassen, daß
Ihr meiner Einfalt lächelt; daß Ihr lächelt,
Wie ich Euch doch so gar nichts Wichtigers
Von diesem heiligen Berg' aller Berge
Zu fragen weiß? Nicht wahr?

T e m p e l h e r r.   So muß
Ich doch Euch wieder in die Augen sehn. —
Was? Nun schlagt Ihr sie nieder? nun verbeißt

Das Lächeln Ihr? wie ich noch erst in Mienen,
In zweifelhaften Mienen lesen will,
Was ich so deutlich hör', Ihr so vernehmlich
Mir sagt — verschweigt? — Ah Recha! Recha! Wie
Hat er so wahr gesagt: „Kennt sie nur erst!"

R e c h a.
Wer hat? — von wem? — Euch das gesagt?

T e m p e l h e r r.   „Kennt sie
Nur erst!" hat Euer Vater mir gesagt;
Von Euch gesagt.

D a j a.   Und ich nicht etwa auch?
Ich denn nicht auch?

T e m p e l h e r r.   Allein wo ist er denn?
Wo ist denn Euer Vater? Ist er noch
Beim Sultan?

R e c h a.   Ohne Zweifel.

T e m p e l h e r r.   Noch, noch da? —
O mich Vergeßlichen! Nein, nein; da ist
Er schwerlich mehr. — Er wird dort unten bei
Dem Kloster meiner warten; ganz gewiß.
So redten, mein' ich, wir es ab. Erlaubt!
Ich geh', ich hol' ihn . . .

D a j a.   Das ist meine Sache.
Bleibt, Ritter, bleibt. Ich bring' ihn unverzüglich.

T e m p e l h e r r.
Nicht so, nicht so! Er sieht mir selbst entgegen;
Nicht Euch. Dazu, er könnte leicht . . . wer weiß? . . .
Er könnte bei dem Sultan leicht, . . . Ihr kennt
Den Sultan nicht! . . . leicht in Verlegenheit
Gekommen sein. — Glaubt mir; es hat Gefahr,
Wenn ich nicht geh'.

R e c h a.   Gefahr? was für Gefahr?

T e m p e l h e r r.
Gefahr für mich, für Euch, für ihn: wenn ich
Nicht schleunig, schleunig geh'. *(Ab.)*

DRITTER AUFTRITT

Recha und Daja.

R e c h a.   Was ist das, Daja? —
So schnell? — Was kömmt ihm an? Was fiel ihm auf?
Was jagt ihn?
D a j a.   Laßt nur, laßt. Ich denk', es ist
Kein schlimmes Zeichen.
R e c h a.   Zeichen? und wovon?
D a j a. Daß etwas vorgeht innerhalb. Es kocht,
Und soll nicht überkochen. Laßt ihn nur.
Nun ist's an Euch.
R e c h a.   Was ist an mir? Du wirst,
Wie er, mir unbegreiflich.
D a j a.   Bald nun könnt
Ihr ihm die Unruh' all vergelten, die
Er Euch gemacht hat. Seid nur aber auch
Nicht allzu streng, nicht allzu rachbegierig.
R e c h a.
Wovon du sprichst, das magst du selber wissen.
D a j a. Und seid denn Ihr bereits so ruhig wieder?
R e c h a. Das bin ich; ja das bin ich . . .
D a j a.   Wenigstens
Gesteht, daß Ihr Euch seiner Unruh' freut;
Und seiner Unruh' danket, was Ihr itzt
Von Ruh' genießt.
R e c h a.   Mir völlig unbewußt!
Denn was ich höchstens dir gestehen könnte,
Wär', daß es mich — mich selbst befremdet, wie
Auf einen solchen Sturm in meinem Herzen
So eine Stille plötzlich folgen können.
Sein voller Anblick, sein Gespräch, sein Ton
Hat mich . . .
D a j a.   Gesättigt schon?
R e c h a.   Gesättigt, will
Ich nun nicht sagen; nein — bei weitem nicht —
D a j a. Den heißen Hunger nur gestillt.
R e c h a.   Nun ja:
Wenn du so willst.
D a j a.   Ich eben nicht.

R e c h a.   Er wird
  Mir ewig wert; mir ewig werter, als
  Mein Leben bleiben: wenn auch schon mein Puls
  Nicht mehr bei seinem bloßen Namen wechselt;
  Nicht mehr mein Herz, so oft ich an ihn denke,
  Geschwinder, stärker schlägt. — Was schwatz' ich?
                                   Komm,
  Komm, liebe Daja, wieder an das Fenster,
  Das auf die Palmen sieht.
D a j a.   So ist er doch
  Wohl noch nicht ganz gestillt, der heiße Hunger.
R e c h a. Nun werd' ich auch die Palmen wieder sehn:
  Nicht ihn bloß untern Palmen.
D a j a.   Diese Kälte
  Beginnt auch wohl ein neues Fieber nur.
R e c h a.
  Was Kält'? Ich bin nicht kalt. Ich sehe wahrlich
  Nicht minder gern, was ich mit Ruhe sehe.

VIERTER AUFTRITT

(Szene: ein Audienzsaal in dem Palaste des Saladin.)

Saladin und Sittah.

S a l a d i n *(im Hereintreten, gegen die Türe).*
  Hier bringt den Juden her, sobald er kömmt.
  Er scheint sich eben nicht zu übereilen.
S i t t a h.
  Er war auch wohl nicht bei der Hand; nicht gleich
  Zu finden.
S a l a d i n. Schwester! Schwester!
S i t t a h.   Tust du doch,
  Als stünde dir ein Treffen vor.
S a l a d i n.   Und das
  Mit Waffen, die ich nicht gelernt zu führen.
  Ich soll mich stellen; soll besorgen lassen;
  Soll Fallen legen; soll auf Glatteis führen.
  Wenn hätt' ich das gekonnt? Wo hätt' ich das
  Gelernt? — Und soll das alles, ah, wozu?

Wozu? — Um Geld zu fischen; Geld! — Um Geld,
Geld einem Juden abzubangen; Geld!
Zu solchen kleinen Listen wär' ich endlich
Gebracht, der Kleinigkeiten kleinste mir
Zu schaffen?

S i t t a h.   Jede Kleinigkeit, zu sehr
Verschmäht, die rächt sich, Bruder.

S a l a d i n.   Leider wahr. —
Und wenn nun dieser Jude gar der gute,
Vernünft'ge Mann ist, wie der Derwisch dir
Ihn ehedem beschrieben?

S i t t a h.   O nun dann!
Was hat es dann für Not! Die Schlinge liegt
Ja nur dem geizigen, besorglichen,
Furchtsamen Juden: nicht dem guten, nicht
Dem weisen Manne. Dieser ist ja so
Schon unser, ohne Schlinge. Das Vergnügen,
Zu hören, wie ein solcher Mann sich ausred't;
Mit welcher dreisten Stärk' entweder er
Die Stricke kurz zerreißet; oder auch
Mit welcher schlauen Vorsicht er die Netze
Vorbei sich windet: dies Vergnügen hast
Du obendrein.

S a l a d i n.   Nun, das ist wahr. Gewiß;
Ich freue mich darauf.

S i t t a h.   So kann dich ja
Auch weiter nichts verlegen machen. Denn
Ist's einer aus der Menge bloß; ist's bloß
Ein Jude, wie ein Jude: gegen den
Wirst du dich doch nicht schämen, so zu scheinen,
Wie er die Menschen all sich denkt? Vielmehr;
Wer sich ihm besser zeigt, der zeigt sich ihm
Als Geck, als Narr.

S a l a d i n.   So muß ich ja wohl gar
Schlecht handeln, daß von mir der Schlechte nicht
Schlecht denke?

S i t t a h.   Traun! wenn du schlecht handeln nennst,
Ein jedes Ding nach seiner Art zu brauchen.

S a l a d i n. Was hätt' ein Weiberkopf erdacht, das er
Nicht zu beschönen wüßte!

S i t t a h.   Zu beschönen!
S a l a d i n. Das feine, spitze Ding, besorg' ich nur,
    In meiner plumpen Hand zerbricht! — So was
    Will ausgeführt sein, wie's erfunden ist:
    Mit aller Pfiffigkeit, Gewandtheit. — Doch,
    Mag's doch nur, mag's! Ich tanze, wie ich kann;
    Und könnt' es freilich lieber — schlechter noch
    Als besser.
S i t t a h.   Trau' dir auch nur nicht zu wenig!
    Ich stehe dir für dich! Wenn du nur willst. —
    Daß uns die Männer deinesgleichen doch
    So gern bereden möchten, nur ihr Schwert,
    Ihr Schwert nur habe sie so weit gebracht.
    Der Löwe schämt sich freilich, wenn er mit
    Dem Fuchse jagt: — des Fuchses, nicht der List.
S a l a d i n.
    Und daß die Weiber doch so gern den Mann
    Zu sich herunter hätten! — Geh nur, geh! —
    Ich glaube meine Lektion zu können.
S i t t a h. Was? ich soll gehn?
S a l a d i n.   Du wolltest doch nicht bleiben?
S i t t a h.
    Wenn auch nicht bleiben… im Gesicht euch bleiben —
    Doch hier im Nebenzimmer →
S a l a d i n.   Da zu horchen?
    Auch das nicht, Schwester; wenn ich soll bestehn. —
    Fort, fort! der Vorhang rauscht; er kömmt! —
                                        doch daß
    Du ja nicht da verweilst! Ich sehe nach.
*(Indem sie sich durch eine Türe entfernt, tritt Nathan zu
    der andern herein; und Saladin hat sich gesetzt.)*

FÜNFTER AUFTRITT

Saladin und Nathan.

S a l a d i n.
    Tritt näher, Jude! — Näher! — Nur ganz her! —
    Nur ohne Furcht!
N a t h a n.   Die bleibe deinem Feinde!

Saladin.
 Du nennst dich Nathan?

Nathan.   Ja.

Saladin.   Den weisen Nathan?

Nathan.
 Nein.

Saladin.
     Wohl! nennst du dich nicht; nennt dich das Volk.

Nathan.
 Kann sein; das Volk!

Saladin.   Du glaubst doch nicht, daß ich
 Verächtlich von des Volkes Stimme denke? —
 Ich habe längst gewünscht, den Mann zu kennen,
 Den es den Weisen nennt.

Nathan.   Und wenn es ihn
 Zum Spott so nennte? Wenn dem Volke weise
 Nichts weiter wär' als klug? und klug nur der,
 Der sich auf seinen Vorteil gut versteht?

Saladin.
 Auf seinen wahren Vorteil, meinst du doch?

Nathan. Dann freilich wär' der Eigennützigste
 Der Klügste. Dann wär' freilich klug und weise
 Nur eins.

Saladin. Ich höre dich erweisen, was
 Du widersprechen willst. — Des Menschen wahre
 Vorteile, die das Volk nicht kennt, kennst du.
 Hast du zu kennen wenigstens gesucht;
 Hast drüber nachgedacht: das auch allein
 Macht schon den Weisen.

Nathan.   Der sich jeder dünkt
 Zu sein.

Saladin. Nun der Bescheidenheit genug!
 Denn sie nur immerdar zu hören, wo
 Man trockne Vernunft erwartet, ekelt.
 (Er springt auf.)
 Laß uns zur Sache kommen! Aber, aber
 Aufrichtig, Jud', aufrichtig!

Nathan.   Sultan, ich
 Will sicherlich dich so bedienen, daß
 Ich deiner fernern Kundschaft würdig bleibe.

S a l a d i n. Bedienen? wie?

N a t h a n.   Du sollst das Beste haben
Von allem; sollst es um den billigsten
Preis haben.

S a l a d i n.   Wovon sprichst du? doch wohl nicht
Von deinen Waren? — Schachern wird mit dir
Schon meine Schwester. (Das der Horcherin!) —
Ich habe mit dem Kaufmann nichts zu tun.

N a t h a n. So wirst du ohne Zweifel wissen wollen,
Was ich auf meinem Wege von den Feinde,
Der allerdings sich wieder reget, etwa
Bemerkt, getroffen? — Wenn ich unverhohlen ...

S a l a d i n. Auch darauf bin ich eben nicht mit dir
Gesteuert. Davon weiß ich schon, so viel
Ich nötig habe. — Kurz; —

N a t h a n.   Gebiete, Sultan.

S a l a d i n. Ich heische deinen Unterricht in ganz
Was anderm; ganz was anderm. — Da du nun
So weise bist: so sage mir doch einmal —
Was für ein Glaube, was für ein Gesetz
Hat dir am meisten eingeleuchtet?

N a t h a n.   Sultan,
Ich bin ein Jud'

S a l a d i n.   Und ich ein Muselmann.
Der Christ ist zwischen uns. — Von diesen drei
Religionen kann doch eine nur
Die wahre sein. — Ein Mann, wie du, bleibt da
Nicht stehen, wo der Zufall der Geburt
Ihn hingeworfen: oder wenn er bleibt,
Bleibt er aus Einsicht, Gründen, Wahl des Bessern.
Wohlan! so teile deine Einsicht mir
Dann mit. Laß mich die Gründe hören, denen
Ich selber nachzugrübeln, nicht die Zeit
Gehabt. Laß mich die Wahl, die diese Gründe
Bestimmt, — versteht sich, im Vertrauen — wissen,
Damit ich sie zu meiner mache. Wie?
Du stutzest? wägst mich mit dem Auge? — Kann
Wohl sein, daß ich der erste Sultan bin,
Der eine solche Grille hat; die mich
Doch eines Sultans eben nicht so ganz

Unwürdig dünkt. — Nicht wahr? — So rede doch!
Sprich! — Oder willst du einen Augenblick,
Dich zu bedenken? Gut, ich geb' ihn dir. —
(Ob sie wohl horcht? Ich will sie doch belauschen;
Will hören, ob ich's recht gemacht. —) Denk' nach.
Geschwind denk' nach! Ich säume nicht, zurück
Zu kommen.
*(Er geht in das Nebenzimmer, nach welchem sich
Sittah begeben.)*

SECHSTER AUFTRITT

Nathan allein.

      Hm! hm! — wunderlich! — Wie ist
Mir denn? — Was will der Sultan? was? — Ich bin
Auf Geld gefaßt; und er will — Wahrheit. Wahrheit!
Und will sie so, — so bar, so blank, — als ob
Die Wahrheit Münze wäre! — Ja, wenn noch
Uralte Münze, die gewogen ward! —
Das ginge noch! Allein so neue Münze,
Die nur der Stempel macht, die man aufs Brett
Nur zählen darf, das ist sie doch nun nicht!
Wie Geld in Sack, so striche man in Kopf
Auch Wahrheit ein? Wer ist denn hier der Jude?
Ich oder er? — Doch wie? Sollt' er auch wohl
Die Wahrheit nicht in Wahrheit fodern? — Zwar,
Zwar der Verdacht, daß er die Wahrheit nur
Als Falle brauche, wär' auch gar zu klein! —
Zu klein? — Was ist für einen Großen denn
Zu klein? — Gewiß, gewiß: er stürzte mit
Der Türe so ins Haus! Man pocht doch, hört
Doch erst, wenn man als Freund sich naht. — Ich muß
Behutsam gehn! — Und wie? wie das? — So ganz
Stockjude sein zu wollen, geht schon nicht. —
Und ganz und gar nicht Jude, geht noch minder.
Denn, wenn kein Jude, dürft' er mich nur fragen,
Warum kein Muselmann? — Das war's! Das kann
Mich retten! — Nicht die Kinder bloß, speist man
Mit Märchen ab. — Er kömmt. Er komme nur!

SIEBENTER AUFTRITT

Saladin und Nathan.

Saladin.
  (So ist das Feld hier rein!) — Ich komm' dir doch
  Nicht zu geschwind zurück? Du bist zu Rande
  Mit deiner Überlegung. — Nun so rede!
  Es hört uns keine Seele.
Nathan.   Möcht' auch doch
  Die ganze Welt uns hören.
Saladin.   So gewiß
  Ist Nathan seiner Sache? Ha! das nenn'
  Ich einen Weisen! Nie die Wahrheit zu
  Verhehlen! für sie alles auf das Spiel
  Zu setzen! Leib und Leben! Gut und Blut!
Nathan. Ja! ja! wann's nötig ist und nutzt.
Saladin.   Von nun
  An darf ich hoffen, einen meiner Titel,
  Verbesserer der Welt und des Gesetzes,
  Mit Recht zu führen.
Nathan.   Traun, ein schöner Titel!
  Doch, Sultan, eh' ich mich dir ganz vertraue,
  Erlaubst du wohl, dir ein Geschichtchen zu
  Erzählen?
Saladin. Warum das nicht? Ich bin stets
  Ein Freund gewesen von Geschichtchen, gut
  Erzählt.
Nathan. Ja, *gut* erzählen, das ist nun
  Wohl eben meine Sache nicht.
Saladin.   Schon wieder
  So stolz bescheiden? — Mach'! erzähl', erzähle!
Nathan.
  Vor grauen Jahren lebt' ein Mann in Osten,
  Der einen Ring von unschätzbarem Wert
  Aus lieber Hand besaß. Der Stein war ein
  Opal, der hundert schöne Farben spielte,
  Und hatte die geheime Kraft, vor Gott
  Und Menschen angenehm zu machen, wer
  In dieser Zuversicht ihn trug. Was Wunder,
  Daß ihn der Mann in Osten darum nie

Vom Finger ließ; und die Verfügung traf,
Auf ewig ihn bei seinem Hause zu
Erhalten? Nämlich so. Er ließ den Ring
Von seinen Söhnen dem geliebtesten;
Und setzte fest, daß dieser wiederum
Den Ring von seinen Söhnen dem vermache,
Der ihm der liebste sei; und stets der liebste,
Ohn' Ansehn der Geburt, in Kraft allein
Des Rings, das Haupt, der Fürst des Hauses werde. —
Versteh mich, Sultan.

Saladin.   Ich versteh' dich. Weiter!
Nathan.

So kam nun dieser Ring, von Sohn zu Sohn,
Auf einen Vater endlich von drei Söhnen;
Die alle drei ihm gleich gehorsam waren,
Die alle drei er folglich gleich zu lieben
Sich nicht entbrechen konnte. Nur von Zeit
Zu Zeit schien ihm bald der, bald dieser, bald
Der dritte, — sowie jeder sich mit ihm
Allein befand, und sein ergießend Herz
Die andern zwei nicht teilten, — würdiger
Des Ringes; den er denn auch einem jeden
Die fromme Schwachheit hatte, zu versprechen.
Das ging nun so, solang es ging. — Allein
Es kam zum Sterben, und der gute Vater
Kömmt in Verlegenheit. Es schmerzt ihn, zwei
Von seinen Söhnen, die sich auf sein Wort
Verlassen, so zu kränken. — Was zu tun? —
Er sendet in geheim zu einem Künstler,
Bei dem er, nach dem Muster seines Ringes,
Zwei andere bestellt, und weder Kosten
Noch Mühe sparen heißt, sie jenem gleich,
Vollkommen gleich zu machen. Das gelingt
Dem Künstler. Da er ihm die Ringe bringt,
Kann selbst der Vater seinen Musterring
Nicht unterscheiden. Froh und freudig ruft
Er seine Söhne, jeden insbesondre;
Gibt jedem insbesondre seinen Segen, —
Und seinen Ring, — und stirbt. — Du hörst doch,
                              Sultan?

S a l a d i n *(der sich betroffen von ihm gewandt).*
  Ich hör', ich höre! — Komm mit deinem Märchen
  Nur bald zu Ende. — Wird's?
N a t h a n.   Ich bin zu Ende.
  Denn was noch folgt, versteht sich ja von selbst. —
  Kaum war der Vater tot, so kömmt ein jeder
  Mit seinem Ring, und jeder will der Fürst
  Des Hauses sein. Man untersucht, man zankt,
  Man klagt. Umsonst; der rechte Ring war nicht
  Erweislich; — *(nach einer Pause, in welcher er des*
Sultans Antwort erwartet)
          Fast so unerweislich, als
  Uns itzt — der rechte Glaube.
S a l a d i n.   Wie? das soll
  Die Antwort sein auf meine Frage? . . .
N a t h a n.   Soll
  Mich bloß entschuldigen, wenn ich die Ringe
  Mir nicht getrau' zu unterscheiden, die
  Der Vater in der Absicht machen ließ,
  Damit sie nicht zu unterscheiden wären.
S a l a d i n.
  Die Ringe! — Spiele nicht mit mir! — Ich dächte,
  Daß die Religionen, die ich dir
  Genannt, doch wohl zu unterscheiden wären.
  Bis auf die Kleidung, bis auf Speis' und Trank!
N a t h a n. Und nur von seiten ihrer Gründe nicht. —
  Denn gründen alle sich nicht auf Geschichte?
  Geschrieben oder überliefert! — Und
  Geschichte muß doch wohl allein auf Treu'
  Und Glauben angenommen werden? — Nicht? —
  Nun, wessen Treu' und Glauben zieht man denn
  Am wenigsten in Zweifel? Doch der Seinen?
  Doch deren Blut wir sind? doch deren, die
  Von Kindheit an uns Proben ihrer Liebe
  Gegeben? die uns nie getäuscht, als wo
  Getäuscht zu werden uns heilsamer war? —
  Wie kann ich meinen Vätern weniger
  Als du den deinen glauben? Oder umgekehrt. —
  Kann ich von dir verlangen, daß du deine
  Vorfahren Lügen strafst, um meinen nicht

Zu widersprechen? Oder umgekehrt.
Das nämliche gilt von den Christen. Nicht? —
S a l a d i n. (Bei dem Lebendigen! Der Mann hat recht.
Ich muß verstummen.)
N a t h a n.   Laß auf unsre Ring'
Uns wieder kommen. Wie gesagt: die Söhne
Verklagten sich; und jeder schwur dem Richter,
Unmittelbar aus seines Vaters Hand
Den Ring zu haben. — Wie auch wahr! — Nachdem
Er von ihm lange das Versprechen schon
Gehabt, des Ringes Vorrecht einmal zu
Genießen. — Wie nicht minder wahr! — Der Vater,
Beteurte jeder, könne gegen ihn
Nicht falsch gewesen sein; und eh' er dieses
Von ihm, von einem solchen lieben Vater,
Argwohnen lass': eh' müss' er seine Brüder,
So gern er sonst von ihnen nur das Beste
Bereit zu glauben sei, des falschen Spiels
Bezeihen; und er wolle die Verräter
Schon auszufinden wissen; sich schon rächen.
S a l a d i n.
Und nun, der Richter? — Mich verlangt zu hören,
Was du den Richter sagen lässest. Sprich!
N a t h a n.
Der Richter sprach: Wenn ihr mir nun den Vater
Nicht bald zur Stelle schafft, so weis' ich euch
Von meinem Stuhle. Denkt ihr, daß ich Rätsel
Zu lösen da bin? Oder harret ihr,
Bis daß der rechte Ring den Mund eröffne? —
Doch halt! Ich höre ja, der rechte Ring
Besitzt die Wunderkraft beliebt zu machen;
Vor Gott und Menschen angenehm. Das muß
Entscheiden! Denn die falschen Ringe werden
Doch das nicht können! — Nun; wen lieben zwei
Von Euch am meisten? — Macht, sagt an! Ihr
                              schweigt?
Die Ringe wirken nur zurück? und nicht
Nach außen? Jeder liebt sich selber nur
Am meisten? — O, so seid ihr alle drei
Betrogene Betrüger! Eure Ringe

Sind alle drei nicht echt. Der echte Ring
Vermutlich ging verloren. Den Verlust
Zu bergen, zu ersetzen, ließ der Vater
Die drei für einen machen.
S a l a d i n.   Herrlich! herrlich!
N a t h a n. Und also, fuhr der Richter fort, wenn ihr
Nicht meinen Rat, statt meines Spruches, wollt:
Geht nur! — Mein Rat ist aber der: ihr nehmt
Die Sache völlig wie sie liegt. Hat von
Euch jeder seinen Ring von seinem Vater:
So glaube jeder sicher seinen Ring
Den echten. — Möglich; daß der Vater nun
Die Tyrannei des *einen* Rings nicht länger
In seinem Hause dulden wollen! — Und gewiß;
Daß er euch alle drei geliebt, und gleich
Geliebt: indem er zwei nicht drücken mögen,
Um einen zu begünstigen. — Wohlan!
Es eifre jeder seiner unbestochnen
Von Vorurteilen freien Liebe nach!
Es strebe von euch jeder um die Wette,
Die Kraft des Steins in seinem Ring' an Tag
Zu legen! komme dieser Kraft mit Sanftmut,
Mit herzlicher Verträglichkeit, mit Wohltun,
Mit innigster Ergebenheit in Gott
Zu Hilf'! Und wenn sich dann der Steine Kräfte
Bei euern Kindes-Kindeskindern äußern:
So lad' ich über tausend tausend Jahre
Sie wiederum vor diesen Stuhl. Da wird
Ein weisrer Mann auf diesem Stuhle sitzen
Als ich; und sprechen. Geht! — So sagte der
Bescheidne Richter.
S a l a d i n.   Gott! Gott!
N a t h a n.   Saladin,
Wenn du dich fühlest, dieser weisere
Versprochne Mann zu sein: . . .
S a l a d i n *(der auf ihn zustürzt und seine Hand er-
greift, die er bis zu Ende nicht wieder fahren läßt).*
                              Ich Staub? Ich Nichts?

   O Gott!
N a t h a n. Was ist dir, Sultan?

S a l a d i n.   Nathan, lieber Nathan! —
   Die tausend tausend Jahre deines Richters
   Sind noch nicht um. — Sein Richterstuhl ist nicht
   Der meine. — Geh! — Geh! — Aber sei mein Freund.
N a t h a n. Und weiter hätte Saladin mir nichts
   Zu sagen?
S a l a d i n. Nichts.
N a t h a n.   Nichts?
S a l a d i n.   Gar nichts. — Und warum?
N a t h a n. Ich hätte noch Gelegenheit gewünscht,
   Dir eine Bitte vorzutragen.
S a l a d i n.   Braucht's
   Gelegenheit zu einer Bitte? — Rede!
N a t h a n.
   Ich komm' von einer weiten Reis', auf welcher
   Ich Schulden eingetrieben. — Fast hab' ich
   Des baren Gelds zuviel. — Die Zeit beginnt
   Bedenklich wiederum zu werden; — und
   Ich weiß nicht recht, wo sicher damit hin. —
   Da dacht' ich, ob nicht du vielleicht, — weil doch
   Ein naher Krieg des Geldes immer mehr
   Erfordert, — etwas brauchen könntest.
S a l a d i n *(ihm steif in die Augen sehend).*
                                   Nathan! —
   Ich will nicht fragen, ob Al-Hafi schon
   Bei dir gewesen; — will nicht untersuchen,
   Ob dich nicht sonst ein Argwohn treibt, mir dieses
   Erbieten freierdings zu tun: . . .
N a t h a n.   Ein Argwohn?
S a l a d i n.
   Ich bin ihn wert. — Verzeih mir! — Denn was hilft's?
   Ich muß dir nur gestehen, — daß ich im
   Begriffe war —
N a t h a n.   Doch nicht, das Nämliche
   An mich zu suchen?
S a l a d i n.   Allerdings.
N a t h a n.   So wär'
   Uns beiden ja geholfen! — Daß ich aber
   Dir alle meine Barschaft nicht kann schicken,
   Das macht der junge Tempelherr. Du kennst

Ihn ja. Ihm hab' ich eine große Post
Vorher noch zu bezahlen.
Saladin.   Tempelherr?
Du wirst doch meine schlimmsten Feinde nicht
Mit deinem Geld auch unterstützen wollen?
Nathan. Ich spreche von dem einen nur, dem du
Das Leben spartest ...
Saladin.   Ah! woran erinnerst
Du mich! — Hab' ich doch diesen Jüngling ganz
Vergessen! — Kennst du ihn? — Wo ist er?
Nathan.   Wie?
So weißt du nicht, wie viel von deiner Gnade
Für ihn, durch ihn auf mich geflossen? Er,
Er mit Gefahr des neu erhaltnen Lebens,
Hat meine Tochter aus dem Feur gerettet.
Saladin.
Er? Hat er das? — Ha! darnach sah er aus.
Das hätte traun mein Bruder auch getan,
Dem er so ähnelt! — Ist er denn noch hier?
So bring' ihn her! — Ich habe meiner Schwester
Von diesem ihren Bruder, den sie nicht
Gekannt, so viel erzählet, daß ich sie
Sein Ebenbild doch auch muß sehen lassen! —
Geh, hol' ihn! — Wie aus *einer* guten Tat,
Gebar sie auch schon bloße Leidenschaft,
Doch so viel andre gute Taten fließen!
Geh, hol' ihn!
Nathan *(indem er Saladins Hand fahren läßt)*.
                    Augenblicks! Und bei dem andern
Bleibt es doch auch? *(Ab.)*
Saladin.   Ah! daß ich meine Schwester
Nicht horchen lassen! — Zu ihr! zu ihr! — Denn
Wie soll ich alles das ihr nun erzählen?
(Ab von der andern Seite.)

ACHTER AUFTRITT

*Die Szene: unter den Palmen, in der Nähe des Klosters,
wo der Tempelherr Nathans wartet.*

Tempelherr *(geht, mit sich selbst kämpfend, auf
und ab; bis er losbricht).*
— Hier hält das Opfertier ermüdet still. —
Nun gut! Ich mag nicht, mag nicht näher wissen,
Was in mir vorgeht; mag voraus nicht wittern,
Was vorgehn wird. — Genug, ich bin umsonst
Geflohn! umsonst. — Und weiter *konnt'* ich doch
Auch nichts, als fliehn! — Nun komm', was kommen
                                             soll! —
Ihm auszubeugen, war der Streich zu schnell
Gefallen; unter den zu kommen, ich
So lang und viel mich weigerte. — Sie sehn,
Die ich zu sehn so wenig lüstern war, —
Sie sehn, und der Entschluß, sie wieder aus
Den Augen nie zu lassen. — Was Entschluß?
Entschluß ist Vorsatz, Tat: und ich, ich litt',
Ich litte bloß. — Sie sehn, und das Gefühl
An sie verstrickt, in sie verwebt zu sein,
War eins. — Bleibt eins. — Von ihr getrennt
Zu leben, ist mir ganz undenkbar; wär'
Mein Tod, — und wo wir immer nach dem Tode
Noch sind, auch da mein Tod. — Ist das nun Liebe:
So — liebt der Tempelritter freilich, — liebt
Der Christ das Judenmädchen freilich. — Hm!
Was tut's? — Ich hab' in dem gelobten Lande, —
Und drum auch mir *gelobt* auf immerdar! —
Der Vorurteile mehr schon abgelegt. —
Was will mein Orden auch? Ich Tempelherr
Bin tot; war von dem Augenblick ihm tot,
Der mich zu Saladins Gefangnen machte.
Der Kopf, den Saladin mir schenkte, wär'
Mein alter? — Ist ein neuer; der von allem
Nichts weiß, was jenem eingeplaudert ward,
Was jenen band. — Und ist ein beßrer; für
Den väterlichen Himmel mehr gemacht.

Das spür' ich ja. Denn erst mit ihm beginn'
Ich *so* zu denken, wie mein Vater hier
Gedacht muß haben; wenn man Märchen nicht
Von ihm mir vorgelogen. — Märchen? — doch
Ganz glaubliche; die glaublicher mir nie,
Als itzt geschienen, da ich nur Gefahr
Zu straucheln laufe, wo er fiel. — Er fiel?
Ich will mit Männern lieber fallen, als
Mit Kindern stehn. — Sein Beispiel bürget mir
Für seinen Beifall. Und an wessen Beifall
Liegt mir denn sonst? — An Nathans? — O an dessen
Ermuntrung mehr, als Beifall, kann es mir
Noch weniger gebrechen. — Welch ein Jude! —
Und der so ganz nur Jude scheinen will!
Da kömmt er; kömmt mit Hast; glüht heitre Freude.
Wer kam vom Saladin je anders? — He!
He, Nathan!

NEUNTER AUFTRITT

Nathan und der Tempelherr.

N a t h a n.   Wie? seid Ihr's?
T e m p e l h e r r.   Ihr habt
Sehr lang' Euch bei dem Sultan aufgehalten.
N a t h a n.
So lange nun wohl nicht. Ich ward im Hingehn
Zu viel verweilt. — Ah, wahrlich, Curd; der Mann
Steht seinen Ruhm. Sein Ruhm ist bloß sein
                                Schatten. —
Doch laßt vor allen Dingen Euch geschwind
Nur sagen ...
T e m p e l h e r r. Was?
N a t h a n.   Er will Euch sprechen; will,
Daß ungesäumt Ihr zu ihm kommt. Begleitet
Mich nur nach Hause, wo ich noch für ihn
Erst etwas anders zu verfügen habe:
Und dann, so gehn wir!
T e m p e l h e r r.   Nathan, Euer Haus
Betret' ich wieder eher nicht ...

Nathan.   So seid
 Ihr doch indes schon da gewesen? habt
 Indes sie doch gesprochen? — Nun? — Sagt: wie
 Gefällt Euch Recha?
Tempelherr.   Über allen Ausdruck!
 Allein, — sie wiedersehn — das werd' ich nie!
 Nie! nie! — Ihr müßtet mir zur Stelle denn
 Versprechen: — daß ich sie auf immer, immer —
 Soll können sehn.
Nathan.   Wie wollt Ihr, daß ich das
 Versteh'?
Tempelherr (nach einer kurzen Pause ihm plötzlich
 um den Hals fallend).
          Mein Vater!
Nathan.   — Junger Mann!
Tempelherr (ihn ebenso plötzlich wieder lassend).
                              Nicht Sohn? —
 Ich bitt' Euch, Nathan! —
Nathan.   Lieber junger Mann!
Tempelherr. Nicht Sohn? — Ich bitt' Euch,
              Nathan! — Ich beschwör'
 Euch bei den ersten Banden der Natur! —
 Zieht ihnen spätre Fesseln doch nicht vor! —
 Begnügt Euch doch ein Mensch zu sein! — Stoßt mich
 Nicht von Euch!
Nathan.   Lieber, lieber Freund! . . .
Tempelherr.   Und Sohn?
 Sohn nicht? — Auch dann nicht, dann nicht einmal,
                              wenn
 Erkenntlichkeit zum Herzen Eurer Tochter
 Der Liebe schon den Weg gebahnet hätte?
 Auch dann nicht einmal, wenn in eins zu schmelzen,
 Auf Euern Wink nur beide warteten? —
 Ihr schweigt?
Nathan.   Ihr überrascht mich, junger Ritter.
Tempelherr.
 Ich überrasch' Euch? — überrasch' Euch, Nathan,
 Mit Euern eigenen Gedanken? — Ihr
 Verkennt sie doch in meinem Munde nicht? —
 Ich überrasch' Euch?

Nathan.   Eh' ich einmal weiß,
Was für ein Stauffen Euer Vater denn
Gewesen ist!
Tempelherr. Was sagt Ihr, Nathan? was? —
In diesem Augenblicke fühlt Ihr nichts
Als Neubegier?
Nathan.   Denn seht! Ich habe selbst
Wohl einen Stauffen ehedem gekannt,
Der Conrad hieß.
Tempelherr.   Nun, — wenn mein Vater denn
Nun ebenso geheißen hätte?
Nathan.   Wahrlich?
Tempelherr.
Ich heiße selber ja nach meinem Vater: Curd
Ist Conrad.
Nathan.   Nun — so war mein Conrad doch
Nicht Euer Vater. Denn mein Conrad war,
Was Ihr; war Tempelherr; war nie vermählt.
Tempelherr.
O darum!
Nathan. Wie?
Tempelherr. O darum könnt' er doch
Mein Vater wohl gewesen sein.
Nathan.   Ihr scherzt.
Tempelherr.
Und Ihr nehmt's wahrlich zu genau! — Was wär's
Denn nun? So was von Bastard oder Bankert!
Der Schlag ist auch nicht zu verachten. — Doch
Entlaßt mich immer meiner Ahnenprobe.
Ich will Euch Eurer wiederum entlassen.
Nicht zwar, als ob ich den geringsten Zweifel
In Euern Stammbaum setzte. Gott behüte!
Ihr könnt ihn Blatt vor Blatt bis Abraham
Hinauf belegen. Und von da so weiter,
Weiß ich ihn selbst; will ich ihn selbst beschwören.
Nathan.
Ihr werdet bitter. — Doch verdien' ich's? — Schlug
Ich denn Euch schon was ab? — Ich will Euch ja
Nur bei dem Worte nicht den Augenblick
So fassen. — Weiter nichts.

Tempelherr.   Gewiß? — Nichts weiter?
    O so vergebt! . . .
Nathan.   Nun kommt nur, kommt!
Tempelherr.   Wohin?
    Nein! — Mit in Euer Haus? — Das nicht! das nicht! —
    Da brennt's! — Ich will Euch hier erwarten. Geht! —
    Soll ich sie wiedersehn: so seh' ich sie
    Noch oft genug. Wo nicht: so sah ich sie
    Schon viel zu viel . . .
Nathan.   Ich will mich möglichst eilen.

ZEHNTER AUFTRITT

Der Tempelherr und bald darauf Daja.

Tempelherr.
    Schon mehr als gnug! — Des Menschen Hirn faßt so
    Unendlich viel; und ist doch manchmal auch
    So plötzlich voll! von einer Kleinigkeit
    So plötzlich voll! — Taugt nichts, taugt nichts; es sei
    Auch voll wovon es will. — Doch nur Geduld!
    Die Seele wirkt den aufgedunsnen Stoff
    Bald ineinander, schafft sich Raum, und Licht
    Und Ordnung kommen wieder. — Lieb' ich denn
    Zum ersten Male? — Oder war, was ich
    Als Liebe kenne, Liebe nicht? — Ist Liebe
    Nur was ich itzt empfinde? . . .
Daja *(die sich von der Seite herbeigeschlichen).*
                                 Ritter! Ritter!
Tempelherr. Wer ruft? — Ha, Daja, Ihr?
Daja.   Ich habe mich
    Bei ihm vorbeigeschlichen. Aber noch
    Könnt' er uns sehn, wo Ihr da steht. — Drum kommt
    Doch näher zu mir, hinter diesen Baum.
Tempelherr.
    Was gibt's denn? — So geheimnisvoll? — Was ist's?
Daja. Ja wohl betrifft es ein Geheimnis, was
    Mich zu Euch bringt; und zwar ein doppeltes.
    Das eine weiß nur ich; das andre wißt
    Nur Ihr. — Wie wär' es, wenn wir tauschten?

Vertraut mir Euers: so vertrau' ich Euch
Das meine.
T e m p e l h e r r. Mit Vergnügen. — Wenn ich nur
Erst weiß, was Ihr für meines achtet. Doch
Das wird aus Euerm wohl erhellen. — Fangt
Nur immer an.
D a j a.   Ei denkt doch! — Nein, Herr Ritter:
Erst Ihr; ich folge. — Denn versichert, mein
Geheimnis kann Euch gar nichts nutzen, wenn
Ich nicht zuvor das Eure habe. — Nur
Geschwind! — Denn frag' ich's Euch erst ab: so habt
Ihr nichts vertrauet. Mein Geheimnis dann
Bleibt mein Geheimnis; und das Eure seid
Ihr los. — Doch armer Ritter! — Daß Ihr Männer
Ein solch Geheimnis vor uns Weibern haben
Zu können, auch nur glaubt!
T e m p e l h e r r.   Das wir zu haben
Oft selbst nicht wissen.
D a j a.   Kann wohl sein. Drum muß
Ich freilich erst, Euch selbst damit bekannt
Zu machen, schon die Freundschaft leisten. — Sagt:
Was hieß denn das, daß Ihr so Knall und Fall
Euch aus dem Staube machtet? daß Ihr uns
So sitzen ließet? — daß Ihr nun mit Nathan
Nicht wiederkommt? — Hat Recha denn so wenig
Auf Euch gewirkt? wie? oder auch, so viel? —
So viel! so viel! — Lehrt Ihr des armen Vogels,
Der an der Rute klebt, Geflatre mich
Doch kennen! — Kurz: gesteht es mir nur gleich,
Daß Ihr sie liebt, liebt bis zum Unsinn; und
Ich sag' Euch was . . .
T e m p e l h e r r.   Zum Unsinn? Wahrlich; Ihr
Versteht Euch trefflich drauf.
D a j a.   Nun gebt mir nur
Die Liebe zu; den Unsinn will ich Euch
Erlassen.
T e m p e l h e r r.
          Weil er sich von selbst versteht? —
Ein Tempelherr ein Judenmädchen lieben! . . .
D a j a. Scheint freilich wenig Sinn zu haben. — Doch

Zuweilen ist des Sinns in einer Sache
Auch mehr, als wir vermuten; und es wäre
So unerhört doch nicht, daß uns der Heiland
Auf Wegen zu sich zöge, die der Kluge
Von selbst nicht leicht betreten würde.
Tempelherr.   Das
So feierlich? — (Und setz' ich statt des Heilands
Die Vorsicht: hat sie denn nicht recht? —) Ihr macht
Mich neubegieriger, als ich wohl sonst
Zu sein gewohnt bin.
Daja.   O! das ist das Land
Der Wunder!
Tempelherr. (Nun! — des Wunderbaren. Kann
Es auch wohl anders sein? Die ganze Welt
Drängt sich ja hier zusammen.) — Liebe Daja,
Nehmt für gestanden an, was Ihr verlangt:
Daß ich sie liebe; daß ich nicht begreife,
Wie ohne sie ich leben werde; daß . . .
Daja. Gewiß? gewiß? — So schwört mir, Ritter, sie
Zur Eurigen zu machen; sie zu retten:
Sie zeitlich hier, sie ewig dort zu retten.
Tempelherr.
Und wie? — Wie kann ich? — Kann ich schwören, was
In meiner Macht nicht steht?
Daja.   In Eurer Macht
Steht es. Ich bring' es durch ein einzig Wort
In Eure Macht.
Tempelherr. Daß selbst der Vater nichts
Dawider hätte?
Daja.   Ei, was Vater! Vater!
Der Vater soll schon müssen.
Tempelherr.   Müssen, Daja? —
Noch ist er unter Räuber nicht gefallen. —
Er muß nicht müssen.
Daja.   Nun, so muß er wollen;
Muß gern am Ende wollen.
Tempelherr.   Muß und gern! —
Doch, Daja, wenn ich Euch nun sage, daß
Ich selber diese Sait' ihm anzuschlagen
Bereits versucht?

D a j a.   Was? und er fiel nicht ein?
T e m p e l h e r r.
    Er fiel mit einem Mißlaut ein, der mich —
    Beleidigte.
D a j a.   Was sagt Ihr? — Wie? Ihr hättet
    Den Schatten eines Wunsches nur nach Recha
    Ihm blicken lassen: und er wär' vor Freuden
    Nicht aufgesprungen? hätte frostig sich
    Zurückgezogen? hätte Schwierigkeiten
    Gemacht?
T e m p e l h e r r. So ungefähr.
D a j a.   So will ich denn
    Mich länger keinen Augenblick bedenken —
                    (Pause.)
T e m p e l h e r r.
    Und Ihr bedenkt Euch doch?
D a j a.   Der Mann ist sonst
    So gut! — Ich selber bin so viel ihm schuldig! —
    Daß er doch gar nicht hören will! — Gott weiß,
    Das Herze blutet mir, ihn so zu zwingen.
T e m p e l h e r r.
    Ich bitt' Euch, Daja, setzt mich kurz und gut
    Aus dieser Ungewißheit. Seid Ihr aber
    Noch selber ungewiß; ob, was Ihr vorhabt,
    Gut oder böse, schändlich oder löblich
    Zu nennen: — schweigt! — Ich will vergessen, daß
    Ihr etwas zu verschweigen habt.
D a j a.   Das spornt,
    Anstatt zu halten. Nun; so wißt denn: Recha
    Ist keine Jüdin; ist — ist eine Christin.
T e m p e l h e r r *(kalt).*
    So? Wünsch' Euch Glück! Hat's schwer gehalten? Laßt
    Euch nicht die Wehen schrecken! — Fahret ja
    Mit Eifer fort, den Himmel zu bevölkern:
    Wenn Ihr die Erde nicht mehr könnt!
D a j a.   Wie, Ritter?
    Verdienet meine Nachricht diesen Spott?
    Daß Recha eine Christin ist: das freuet
    Euch, einen Christen, einen Tempelherrn,
    Der Ihr sie liebt, nicht mehr?

T e m p e l h e r r.   Besonders, da
   Sie eine Christin ist von Eurer Mache.
D a j a. Ah! so versteht Ihr's? So mag's gelten! — Nein!
   Den will ich sehn, der die bekehren soll!
   Ihr Glück ist, längst zu sein, was sie zu werden
   Verdorben ist.
T e m p e l h e r r. Erklärt Euch, oder — geht!
D a j a. Sie ist ein Christenkind, von Christeneltern
   Geboren; ist getauft …
T e m p e l h e r r *(hastig)*. Und Nathan?
D a j a.   Nicht
   Ihr Vater!
T e m p e l h e r r.
       Nathan nicht ihr Vater? — Wißt
   Ihr, was Ihr sagt?
D a j a.   Die Wahrheit, die so oft
   Mich blut'ge Tränen weinen machen. — Nein,
   Er ist ihr Vater nicht …
T e m p e l h e r r.   Und hätte sie
   Als seine Tochter nur erzogen? hätte
   Das Christenkind als eine Jüdin sich
   Erzogen?
D a j a.   Ganz gewiß.
T e m p e l h e r r.   Sie wüßte nicht,
   Was sie geboren sei? — Sie hätt' es nie
   Von ihm erfahren, daß sie eine Christin
   Geboren sei, und keine Jüdin?
D a j a.   Nie!
T e m p e l h e r r.
   Er hätt' in diesem Wahne nicht das Kind
   Bloß auferzogen? ließ das Mädchen noch
   In diesem Wahne?
D a j a.   Leider!
T e m p e l h e r r.   Nathan — Wie?
   Der weise gute Nathan hätte sich
   Erlaubt, die Stimme der Natur so zu
   Verfälschen? — Die Ergießung eines Herzens
   So zu verlenken, die, sich selbst gelassen,
   Ganz andre Wege nehmen würde? — Daja,
   Ihr habt mir allerdings etwas vertraut —

Von Wichtigkeit, — was Folgen haben kann, —
Was mich verwirrt, — worauf ich gleich nicht weiß,
Was mir zu tun. — Drum laßt mir Zeit. — Drum geht!
Er kömmt hier wiederum vorbei. Er möcht'
Uns überfallen. Geht!

D a j a.   Ich wär' des Todes!

T e m p e l h e r r.
Ich bin ihn itzt zu sprechen ganz und gar
Nicht fähig. Wenn Ihr ihm begegnet, sagt
Ihm nur, daß wir einander bei dem Sultan
Schon finden würden.

D a j a.   Aber laßt Euch ja
Nichts merken gegen ihn. — Das soll nur so
Den letzten Druck dem Dinge geben; soll
Euch, Rechas wegen, alle Skrupel nur
Benehmen! — Wenn Ihr aber dann sie nach
Europa führt: so laßt Ihr doch mich nicht
Zurück?

T e m p e l h e r r.
           Das wird sich finden. Geht nur, geht!

VIERTER AUFZUG

ERSTER AUFTRITT

(Szene: in den Kreuzgängen des Klosters.)

Der Klosterbruder und bald darauf der Tempelherr.

Klosterbruder.
    Ja, ja! er hat schon recht, der Patriarch!
    Es hat mir freilich noch von alledem
    Nicht viel gelingen wollen, was er mir
    So aufgetragen. — Warum trägt er mir
    Auch lauter solche Sachen auf? — Ich mag
    Nicht fein sein; mag nicht überreden; mag
    Mein Näschen nicht in alles stecken; mag
    Mein Händchen nicht in allem haben. — Bin
    Ich darum aus der Welt geschieden, ich
    Für mich; um mich für andre mit der Welt
    Noch erst recht zu verwickeln?
Tempelherr *(mit Hast auf ihn zukommend).*
                                    Guter Bruder!
    Da seid Ihr ja. Ich hab' Euch lange schon
    Gesucht.
Klosterbruder.
            Mich, Herr?
Tempelherr.   Ihr kennt mich schon nicht mehr?
Klosterbruder.
    Doch, doch! Ich glaubte nur, daß ich den Herrn
    In meinem Leben wieder nie zu sehn
    Bekommen würde. Denn ich hofft' es zu
    Dem lieben Gott. — Der liebe Gott, der weiß,
    Wie sauer mir der Antrag ward, den ich
    Dem Herrn zu tun verbunden war. Er weiß,
    Ob ich gewünscht, ein offnes Ohr bei Euch
    Zu finden; weiß, wie sehr ich mich gefreut,
    Im Innersten gefreut, daß Ihr so rund

Das alles, ohne viel Bedenken, von
Euch wies't, was einem Ritter nicht geziemt. —
Nun kommt Ihr doch; nun hat's doch nachgewirkt!
Tempelherr.
Ihr wißt es schon, warum ich komme? Kaum
Weiß ich es selbst.
Klosterbruder. Ihr habt's nun überlegt;
Habt nun gefunden, daß der Patriarch
So unrecht doch nicht hat; daß Ehr' und Geld
Durch seinen Anschlag zu gewinnen; daß
Ein Feind ein Feind ist, wenn er unser Engel
Auch siebenmal gewesen wäre. Das,
Das habt Ihr nun mit Fleisch und Blut erwogen,
Und kommt, und tragt Euch wieder an. — Ach Gott!
Tempelherr.
Mein frommer, lieber Mann! gebt Euch zufrieden.
Deswegen komm' ich nicht; deswegen will
Ich nicht den Patriarchen sprechen. Noch,
Noch denk' ich über jenen Punkt, wie ich
Gedacht, und wollt' um alles in der Welt
Die gute Meinung nicht verlieren, deren
Mich ein so grader, frommer, lieber Mann
Einmal gewürdiget. — Ich komme bloß,
Den Patriarchen über eine Sache
Um Rat zu fragen ...
Klosterbruder.   Ihr den Patriarchen?
Ein Ritter, einen — Pfaffen?
(Sich schüchtern umsehend.)
Tempelherr.   Ja; — die Sach'
Ist ziemlich pfäffisch.
Klosterbruder.   Gleichwohl fragt der Pfaffe
Den Ritter nie, die Sache sei auch noch
So ritterlich.
Tempelherr. Weil er das Vorrecht hat,
Sich zu vergehn; das unsereiner ihm
Nicht sehr beneidet. — Freilich, wenn ich nur
Für mich zu handeln hätte; freilich, wenn
Ich Rechenschaft nur mir zu geben hätte:
Was braucht' ich Euers Patriarchen? Aber
Gewisse Dinge will ich lieber schlecht,

Nach andrer Willen, machen; als allein
Nach meinem, gut. — Zudem, ich seh' nun wohl,
Religion ist auch Partei; und wer
Sich drob auch noch so unparteiisch glaubt,
Hält, ohn' es selbst zu wissen, doch nur seiner
Die Stange. Weil das einmal nun so ist:
Wird's so wohl recht sein.

K l o s t e r b r u d e r.   Dazu schweig' ich lieber.
Denn ich versteh' den Herrn nicht recht.

T e m p e l h e r r.   Und doch! —
(Laß sehn, warum mir eigentlich zu tun!
Um Machtspruch oder Rat? — Um lautern, oder
Gelehrten Rat?) — Ich dank' Euch, Bruder; dank'
Euch für den guten Wink. — Was Patriarch? —
Seid Ihr mein Patriarch! Ich will ja doch
Den Christen mehr im Patriarchen, als
Den Patriarchen in dem Christen fragen. —
Die Sach' ist die . . .

K l o s t e r b r u d e r. Nicht weiter, Herr, nicht weiter!
Wozu? — Der Herr verkennt mich. — Wer viel weiß,
Hat viel zu sorgen; und ich habe ja
Mich *einer* Sorge nur gelobt. — O gut!
Hört! seht! Dort kömmt, zu meinem Glück, er selbst.
Bleibt hier nur stehn. Er hat Euch schon erblickt.

ZWEITER AUFTRITT

*Der Patriarch, welcher mit allem geistlichen Pomp den
einen Kreuzgang heraufkömmt, und die Vorigen.*

T e m p e l h e r r.
Ich wich' ihm lieber aus. — Wär' nicht mein Mann! —
Ein dicker, roter, freundlicher Prälat!
Und welcher Prunk!

K l o s t e r b r u d e r. Ihr solltet ihn erst sehn
Nach Hofe sich erheben. Itzo kömmt
Er nur von einem Kranken.

T e m p e l h e r r.   Wie sich da
Nicht Saladin wird schämen müssen!

Patriarch *(indem er näherkömmt, winkt dem Bruder).* — Hier! —
Das ist ja wohl der Tempelherr. Was will
Er?

Klosterbruder.
Weiß nicht.

Patriarch *(auf ihn zugehend, indem der Bruder und das Gefolge zurücktreten).*
Nun, Herr Ritter! — Sehr erfreut,
Den braven jungen Mann zu sehn! — Ei, noch
So gar jung! — Nun, mit Gottes Hilfe, daraus
Kann etwas werden.

Tempelherr. Mehr, ehrwürd'ger Herr,
Wohl schwerlich, als schon ist. Und eher noch,
Was weniger.

Patriarch. Ich wünsche wenigstens,
Daß so ein frommer Ritter lange noch
Der lieben Christenheit, der Sache Gottes
Zu Ehr' und Frommen blühn und grünen möge!
Das wird denn auch nicht fehlen, wenn nur fein
Die junge Tapferkeit dem reifen Rate
Des Alters folgen will! — Womit wär' sonst
Dem Herrn zu dienen?

Tempelherr. Mit dem nämlichen,
Woran es meiner Jugend fehlt: mit Rat.

Patriarch.
Recht gern! — Nur ist der Rat auch anzunehmen.

Tempelherr.
Doch blindlings nicht?

Patriarch. Wer sagt denn das? — Ei freilich
Muß niemand die Vernunft, die Gott ihm gab,
Zu brauchen unterlassen, — wo sie hin
Gehört. — Gehört sie aber überall
Denn hin? — O nein! — Zum Beispiel: wenn uns Gott
Durch einen seiner Engel, — ist zu sagen,
Durch einen Diener seines Worts, — ein Mittel
Bekannt zu machen würdiget, das Wohl
Der ganzen Christenheit, das Heil der Kirche,
Auf irgend eine ganz besondre Weise
Zu fördern, zu befestigen: wer darf

Sich da noch unterstehn, die Willkür des,
Der die Vernunft erschaffen, nach Vernunft
Zu untersuchen? und das ewige
Gesetz der Herrlichkeit des Himmels, nach
Den kleinen Regeln einer eiteln Ehre
Zu prüfen? — Doch hiervon genug. — Was ist
Es denn, worüber unsern Rat für itzt
Der Herr verlangt?

Tempelherr.   Gesetzt, ehrwürd'ger Vater,
Ein Jude hätt' ein einzig Kind, — es sei
Ein Mädchen, — das er mit der größten Sorgfalt
Zu allem Guten auferzogen, das
Er liebe mehr als seine Seele, das
Ihn wieder mit der frömmsten Liebe liebe.
Und nun würd' unsereinem hinterbracht,
Dies Mädchen sei des Juden Tochter nicht;
Er hab' es in der Kindheit aufgelesen,
Gekauft, gestohlen, — was Ihr wollt; man wisse,
Das Mädchen sei ein Christenkind, und sei
Getauft; der Jude hab' es nur als Jüdin
Erzogen; lass' es nur als Jüdin und
Als seine Tochter so verharren: — sagt,
Ehrwürd'ger Vater, was wär' hierbei wohl
Zu tun?

Patriarch.
    Mich schaudert! — Doch zu allererst
Erkläre sich der Herr, ob so ein Fall
Ein Faktum oder eine Hypothes'.
Das ist zu sagen: ob der Herr sich das
Nur bloß so dichtet, oder ob's geschehn,
Und fortfährt zu geschehn.

Tempelherr.   Ich glaubte, das
Sei eins, um Euer Hochehrwürden Meinung
Bloß zu vernehmen.

Patriarch.   Eins? — Da seh' der Herr
Wie sich die stolze menschliche Vernunft
Im Geistlichen doch irren kann. — Mit nichten!
Denn ist der vorgetragne Fall nur so
Ein Spiel des Witzes: so verlohnt es sich
Der Mühe nicht, im Ernst ihn durchzudenken.

Ich will den Herrn damit auf das Theater
Verwiesen haben, wo dergleichen pro
Et contra sich mit vielem Beifall könnte
Behandeln lassen. — Hat der Herr mich aber
Nicht bloß mit einer theatral'schen Schnurre
Zum besten; ist der Fall ein Faktum; hätt'
Er sich wohl gar in unsrer Diözes',
In unsrer lieben Stadt Jerusalem
Ereignet: — ja alsdann —

Tempelherr.   Und was alsdann?

Patriarch.

Dann wäre an dem Juden fördersamst
Die Strafe zu vollziehn, die päpstliches
Und kaiserliches Recht so einem Frevel,
So einer Lastertat bestimmen.

Tempelherr.   So?

Patriarch. Und zwar bestimmen obbesagte Rechte
Dem Juden, welcher einen Christen zur
Apostasie verführt, — den Scheiterhaufen, —
Den Holzstoß —

Tempelherr. So?

Patriarch.   Und wie vielmehr dem Juden,
Der mit Gewalt ein armes Christenkind
Dem Bunde seiner Tauf' entreißt! Denn ist
Nicht alles, was man Kindern tut, Gewalt? —
Zu sagen: — ausgenommen, was die Kirch'
An Kindern tut.

Tempelherr. Wenn aber nun das Kind,
Erbarmte seiner sich der Jude nicht,
Vielleicht im Elend umgekommen wäre?

Patriarch.

Tut nichts! der Jude wird verbrannt! — Denn besser,
Es wäre hier im Elend umgekommen,
Als daß zu seinem ewigen Verderben
Es so gerettet ward. — Zudem, was hat
Der Jude Gott denn vorzugreifen? Gott
Kann, wen er retten will, schon ohn' ihn retten.

Tempelherr.

Auch trotz ihm, sollt' ich meinen, — selig machen.

Patriarch. Tut nichts! der Jude wird verbrannt.

Tempelherr.   Das geht
   Mir nah'! Besonders, da man sagt, er habe
   Das Mädchen nicht sowohl in seinem, als
   Vielmehr in keinem Glauben auferzogen,
   Und sie von Gott nicht mehr nicht weniger
   Gelehrt, als der Vernunft genügt.
Patriarch.   Tut nichts!
   Der Jude wird verbrannt... Ja, wär' allein
   Schon dieserwegen wert, dreimal verbrannt
   Zu werden! — Was? ein Kind ohn' allen Glauben
   Erwachsen lassen? — Wie? die große Pflicht,
   Zu glauben, ganz und gar ein Kind nicht lehren?
   Das ist zu arg! Mich wundert sehr, Herr Ritter,
   Euch selbst...
Tempelherr. Ehrwürd'ger Herr, das übrige,
   Wenn Gott will, in der Beichte. *(Will gehn.)*
Patriarch.   Was? mir nun
   Nicht einmal Rede stehn? — Den Bösewicht,
   Den Juden mir nicht nennen? — mir ihn nicht
   Zur Stelle schaffen? — O da weiß ich Rat!
   Ich geh' sogleich zum Sultan. — Saladin,
   Vermöge der Kapitulation,
   Die er beschworen, muß uns, muß uns schützen;
   Bei allen Rechten, allen Lehren schützen,
   Die wir zu unsrer allerheiligsten
   Religion nur immer rechnen dürfen!
   Gottlob! wir haben das Original.
   Wir haben seine Hand, sein Siegel. Wir! —
   Auch mach' ich ihm gar leicht begreiflich, wie
   Gefährlich selber für den Staat es ist,
   Nichts glauben! Alle bürgerliche Bande
   Sind aufgelöset, sind zerrissen, wenn
   Der Mensch nichts glauben darf. — Hinweg! hinweg
   Mit solchem Frevel!...
Tempelherr.   Schade, daß ich nicht
   Den trefflichen Sermon mit beßrer Muße
   Genießen kann! Ich bin zum Saladin
   Gerufen.
Patriarch.
      Ja? — Nun so — Nun freilich — Dann —

T e m p e l h e r r. Ich will den Sultan vorbereiten, wenn
   Es Eurer Hochehrwürden so gefällt.
P a t r i a r c h.
   O, oh! — Ich weiß, der Herr hat Gnade funden
   Vor Saladin! — Ich bitte meiner nur
   Im Besten bei ihm eingedenk zu sein. —
   Mich treibt der Eifer Gottes lediglich.
   Was ich zuviel tu', tu' ich ihm. — Das wolle
   Doch ja der Herr erwägen! — Und nicht wahr,
   Herr Ritter? das vorhin Erwähnte von
   Dem Juden, war nur ein Problema? — ist
   Zu sagen —
T e m p e l h e r r.
          Ein Problema. *(Geht ab.)*
P a t r i a r c h.   *(Dem ich tiefer*
   Doch auf den Grund zu kommen suchen muß.
   Das wär' so wiederum ein Auftrag für
   Den Bruder Bonafides.) — Hier, mein Sohn!
   (Er spricht im Abgehn mit dem Klosterbruder.)

DRITTER AUFTRITT

(Szene: ein Zimmer im Palaste des Saladin, in welches
von Sklaven eine Menge Beutel getragen, und auf dem
Boden neben einander gestellt werden.)

Saladin und bald darauf Sittah.

S a l a d i n *(der dazu kömmt).*
   Nun wahrlich! das hat noch kein Ende. — Ist
   Des Dings noch viel zurück?
E i n S k l a v e.   Wohl noch die Hälfte.
S a l a d i n. So tragt das übrige zu Sittah. — Und
   Wo bleibt Al-Hafi? Das hier soll sogleich
   Al-Hafi zu sich nehmen. — Oder ob
   Ich's nicht vielmehr dem Vater schicke? Hier
   Fällt mir es doch nur durch die Finger. — Zwar
   Man wird wohl endlich hart; und nun gewiß
   Soll's Künste kosten, mir viel abzuzwacken.
   Bis wenigstens die Gelder aus Ägypten

Zur Stelle kommen, mag das Armut sehn,
Wie's fertig wird! — Die Spenden bei dem Grabe,
Wenn die nur fortgehn! Wenn die Christenpilger
Mit leeren Händen nur nicht abziehn dürfen!
Wenn nur —

S i t t a h.   Was soll nun das? Was soll das Geld
Bei mir?

S a l a d i n. Mach' dich davon bezahlt; und leg'
Auf Vorrat, wenn was übrig bleibt.

S i t t a h.   Ist Nathan
Noch mit dem Tempelherrn nicht da?

S a l a d i n.   Er sucht
Ihn aller Orten.

S i t t a h.   Sieh doch, was ich hier,
Indem mir so mein alt Geschmeide durch
Die Hände geht, gefunden.

(Ihm ein klein Gemälde zeigend.)

S a l a d i n.   Ha! mein Bruder!
Das ist er, ist er! — War er! war er! ah! —
Ah wackrer lieber Junge, daß ich dich
So früh verlor! Was hätt' ich erst mit dir,
An deiner Seit' erst unternommen! — Sittah,
Laß mir das Bild. Auch kenn' ich's schon: er gab
Es deiner ältern Schwester, seiner Lilla,
Die eines Morgens ihn so ganz und gar
Nicht aus den Armen lassen wollt'. Es war
Der letzte, den er ausritt. — Ah, ich ließ
Ihn reiten, und allein! — Ah, Lilla starb
Vor Gram, und hat mir's nie vergeben, daß
Ich so allein ihn reiten lassen. — Er
Blieb weg!

S i t t a h.   Der arme Bruder!

S a l a d i n.   Laß nur gut
Sein! — Einmal bleiben wir doch alle weg! —
Zudem, — wer weiß? Der Tod ist's nicht allein,
Der einem Jüngling seiner Art das Ziel
Verrückt. Er hat der Feinde mehr; und oft
Erliegt der Stärkste gleich dem Schwächsten. — Nun,
Sei wie ihm sei! — Ich muß das Bild doch mit
Dem jungen Tempelherrn vergleichen; muß

Doch sehn, wieviel mich meine Phantasie
Getäuscht.
Sittah. Nur darum bring' ich's. Aber gib
Doch, gib! Ich will dir das wohl sagen; das
Versteht ein weiblich Aug' am besten.
Saladin *(zu einem Türsteher, der hereintritt)*. Wer
Ist da? — der Tempelherr? — Er komm'!
Sittah. Euch nicht
Zu stören: ihn mit meiner Neugier nicht
Zu irren —
*(Sie setzt sich seitwärts auf einen Sofa und läßt den
Schleier fallen.)*
Saladin. Gut so! gut! — (Und nun sein Ton!
Wie der wohl sein wird! — Assads Ton
Schläft auch wohl wo in meiner Seele noch!)

VIERTER AUFTRITT

Der Tempelherr und Saladin.

Tempelherr. Ich, dein Gefangner, Sultan ...
Saladin. Mein Gefangner?
Wem ich das Leben schenke, werd' ich dem
Nicht auch die Freiheit schenken?
Tempelherr. Was dir ziemt
Zu tun, ziemt mir, erst zu vernehmen, nicht
Vorauszusetzen. Aber, Sultan, — Dank,
Besondern Dank dir für mein Leben zu
Beteuern, stimmt mit meinem Stand und meinem
Charakter nicht. — Es steht in allen Fällen
Zu deinen Diensten wieder.
Saladin. Brauch' es nur
Nicht wider mich! — Zwar ein paar Hände mehr,
Die gönnt' ich meinem Feinde gern. Allein
Ihm so ein Herz auch mehr zu gönnen, fällt
Mir schwer. — Ich habe mich mit dir in nichts
Betrogen, braver junger Mann! Du bist
Mit Seel' und Leib mein Assad. Sieh! ich könnte
Dich fragen: wo du denn die ganze Zeit
Gesteckt? in welcher Höhle du geschlafen?

In welchem Ginnistan, von welcher guten
Div diese Blume fort und fort so frisch
Erhalten worden? Sieh! ich könnte dich
Erinnern wollen, was wir dort und dort
Zusammen ausgeführt. Ich könnte mit
Dir zanken, daß du *ein* Geheimnis doch
Vor mir gehabt! *Ein* Abenteuer mir
Doch unterschlagen: — Ja das könnt' ich; wenn
Ich dich nur säh', und nicht auch mich. — Nun, mag's!
Von dieser süßen Träumerei ist immer
Doch so viel wahr, daß mir in meinem Herbst
Ein Assad wieder blühen soll. — Du bist
Es doch zufrieden, Ritter?

Tempelherr.   Alles, was
Von dir mir kömmt, — sei was es will — das lag
Als Wunsch in meiner Seele.

Saladin.   Laß uns das
Sogleich versuchen. — Bliebst du wohl bei mir?
Um mir? — Als Christ, als Muselmann: gleichviel!
Im weißen Mantel, oder Jamerlonk;
Im Tulban, oder deinem Filze: wie
Du willst! Gleichviel! Ich habe nie verlangt,
Daß allen Bäumen *eine* Rinde wachse.

Tempelherr.
Sonst wärst du wohl auch schwerlich, der du bist:
Der Held, der lieber Gottes Gärtner wäre.

Saladin.
Nun dann; wenn du nicht schlechter von mir denkst:
So wären wir ja halb schon richtig?

Tempelherr.   Ganz!

Saladin *(ihm die Hand bietend).*   Ein Wort?

Tempelherr *(einschlagend).*
Ein Mann! — Hiermit empfange mehr
Als du mir nehmen konntest. Ganz der Deine!

Saladin. Zuviel Gewinn für einen Tag! zuviel! —
Kam er nicht mit?

Tempelherr. Wer?

Saladin.   Nathan.

Tempelherr *(frostig).*   Nein. Ich kam
Allein.

4. Aufzug, 4. Auftritt

Saladin. Welch eine Tat von dir! Und welch
  Ein weises Glück, daß eine solche Tat
  Zum Besten eines solchen Mannes ausschlug.
Tempelherr.
  Ja, ja!
Saladin.
        So kalt? — Nein, junger Mann! wenn Gott
  Was Gutes durch uns tut, muß man so kalt
  Nicht sein! — selbst aus Bescheidenheit so kalt
  Nicht scheinen wollen!
Tempelherr.   Daß doch in der Welt
  Ein jedes Ding so manche Seiten hat! —
  Von denen oft sich gar nicht denken läßt,
  Wie sie zusammenpassen!
Saladin.   Halte dich
  Nur immer an die best', und preise Gott!
  Der weiß, wie sie zusammenpassen. — Aber,
  Wenn du so schwierig sein willst, junger Mann:
  So werd' auch ich ja wohl auf meiner Hut
  Mich mit dir halten müssen? Leider bin
  Auch ich ein Ding von vielen Seiten, die
  Oft nicht so recht zu passen scheinen mögen.
Tempelherr.
  Das schmerzt! — Denn Argwohn ist so wenig sonst
  Mein Fehler —
Saladin.   Nun, so sage doch, mit wem
  Du's hast? — Es schien ja gar, mit Nathan. Wie?
  Auf Nathan Argwohn? du? — Erklär' dich! sprich!
  Komm, gib mir deines Zutrauns erste Probe.
Tempelherr.
  Ich habe wider Nathan nichts. Ich zürn'
  Allein mit mir —
Saladin.   Und über was?
Tempelherr.   Daß mir
  Geträumt, ein Jude könn' auch wohl ein Jude
  Zu sein verlernen; daß mir wachend so
  Geträumt.
Saladin. Heraus mit diesem wachen Traume!
Tempelherr.
  Du weißt von Nathans Tochter, Sultan. Was

Ich für sie tat, das tat ich, — weil ich's tat.
Zu stolz, Dank einzuernten, wo ich ihn
Nicht säete, verschmäht' ich Tag für Tag,
Das Mädchen noch einmal zu sehn. Der Vater
War fern; er kömmt; er hört; er sucht mich auf;
Er dankt; er wünscht, daß seine Tochter mir
Gefallen möge; spricht von Aussicht, spricht
Von heitern Fernen. — Nun, ich lasse mich
Beschwatzen, komme, sehe, finde wirklich
Ein Mädchen... Ah, ich muß mich schämen, Sultan! —
S a l a d i n. Dich schämen? — daß ein Judenmädchen auf
Dich Eindruck machte: doch wohl nimmermehr?
T e m p e l h e r r.
Daß diesem Eindruck, auf das liebliche
Geschwätz des Vaters hin, mein rasches Herz
So wenig Widerstand entgegensetzte! —
Ich Tropf! ich sprang zum zweitenmal ins Feuer. —
Denn nun warb *ich*, und nun ward *ich* verschmäht.
S a l a d i n. Verschmäht?
T e m p e l h e r r.   Der weise Vater schlägt nun wohl
Mich platterdings nicht aus. Der weise Vater
Muß aber doch sich erst erkunden, erst
Besinnen. Allerdings! Tat ich denn das
Nicht auch? Erkundete, besann ich denn
Mich erst nicht auch, als sie im Feuer schrie? —
Fürwahr! bei Gott! Es ist doch gar was Schönes,
So weise, so bedächtig sein!
S a l a d i n.   Nun, nun!
So sieh doch einem Alten etwas nach!
Wie lange können seine Weigerungen
Denn dauern? Wird er denn von dir verlangen,
Daß du erst Jude werden sollst?
T e m p e l h e r r.   Wer weiß!
S a l a d i n.
Wer weiß? — der diesen Nathan besser kennt.
T e m p e l h e r r.
Der Aberglaub', in dem wir aufgewachsen,
Verliert, auch wenn wir ihn erkennen, darum
Doch seine Macht nicht über uns. — Es sind
Nicht alle frei, die ihrer Ketten spotten.

Saladin.
  Sehr reif bemerkt! Doch Nathan wahrlich, Nathan ...
Tempelherr.
  Der Aberglauben schlimmster ist, den seinen
  Für den erträglichern zu halten ...
Saladin.   Mag
  Wohl sein! Doch Nathan ...
Tempelherr.   Dem allein
  Die blöde Menschheit zu vertrauen, bis
  Sie hellern Wahrheitstag gewöhne; dem
  Allein ...
Saladin. Gut! Aber Nathan! — Nathans Los
  Ist diese Schwachheit nicht.
Tempelherr.   So dacht' ich auch! ...
  Wenn gleichwohl dieser Ausbund aller Menschen
  So ein gemeiner Jude wäre, daß
  Er Christenkinder zu bekommen suche,
Saladin.
  Um sie als Juden aufzuziehn: — wie dann?
  Wer sagt ihm so was nach?
Tempelherr.   Das Mädchen selbst,
  Mit welcher er mich körnt, mit deren Hoffnung
  Er gern mir zu bezahlen schiene, was
  Ich nicht umsonst für sie getan soll haben: —
  Dies Mädchen selbst ist seine Tochter — nicht;
  Ist ein verzettelt Christenkind.
Saladin.   Das er
  Dem ungeachtet dir nicht geben wollte?
Tempelherr *(heftig).*
  Woll' oder wolle nicht! Er ist entdeckt.
  Der tolerante Schwätzer ist entdeckt!
  Ich werde hinter diesen jüd'schen Wolf
  Im philosoph'schen Schafpelz Hunde schon
  Zu bringen wissen, die ihn zausen sollen!
Saladin *(ernst).*
  Sei ruhig, Christ!
Tempelherr. Was? ruhig Christ? — Wenn Jud'
  Und Muselmann, auf Jud', auf Muselmann
  Bestehen: soll allein der Christ den Christen
  Nicht machen dürfen?

Saladin *(noch ernster).* Ruhig, Christ!
Tempelherr *(gelassen).*   Ich fühle
  Des Vorwurfs ganze Last, — die Saladin
  In diese Silbe preßt! Ah, wenn ich wüßte,
  Wie Assad, — Assad sich an meiner Stelle
  Hierbei genommen hätte!
Saladin.   Nicht viel besser! —
  Vermutlich ganz so brausend! — Doch, wer hat
  Denn dich auch schon gelehrt, mich so wie er
  Mit *einem* Worte zu bestechen? Freilich
  Wenn alles sich verhält, wie du mir sagest:
  Kann ich mich selber kaum in Nathan finden. —
  Indes, er ist mein Freund, und meiner Freunde
  Muß keiner mit dem andern hadern. — Laß
  Dich weisen! Geh behutsam! Gib ihn nicht
  Sofort den Schwärmern deines Pöbels preis!
  Verschweig, was deine Geistlichkeit, an ihm
  Zu rächen, mir so nahe legen würde!
  Sei keinem Juden, keinem Muselmanne
  Zum Trotz ein Christ!
Tempelherr.   Bald wär's damit zu spät!
  Doch dank der Blutbegier des Patriarchen,
  Des Werkzeug mir zu werden graute!
Saladin.   Wie?
  Du kamst zum Patriarchen eher, als
  Zu mir?
Tempelherr.
          Im Sturm der Leidenschaft, im Wirbel
  Der Unentschlossenheit! — Verzeih! — Du wirst
  Von deinem Assad, fürcht' ich, ferner nun
  Nichts mehr in mir erkennen wollen.
Saladin.   Wär'
  Es diese Furcht nicht selbst! Mich dünkt, ich weiß,
  Aus welchen Fehlern unsre Tugend keimt.
  Pfleg' diese ferner nur, und jene sollen
  Bei mir dir wenig schaden. — Aber geh!
  Such' du nun Nathan, wie er dich gesucht;
  Und bring' ihn her. Ich muß euch doch zusammen
  Verständigen. — Wär' um das Mädchen dir
  Im Ernst zu tun: sei ruhig. Sie ist dein!

Auch soll es Nathan schon empfinden, daß
Er ohne Schweinefleisch ein Christenkind
Erziehen dürfen! — Geh!
(Der Tempelherr geht ab, und Sittah verläßt den Sofa.)

FÜNFTER AUFTRITT

Saladin und Sittah.

Sittah.   Ganz sonderbar!
Saladin.
  Gelt, Sittah? Muß mein Assad nicht ein braver,
  Ein schöner junger Mann gewesen sein?
Sittah. Wenn er so war, und nicht zu diesem Bilde
  Der Tempelherr vielmehr gesessen! — Aber
  Wie hast du doch vergessen können dich
  Nach seinen Eltern zu erkundigen?
Saladin.
  Und insbesondre wohl nach seiner Mutter?
  'Ob seine Mutter hierzulande nie
  Gewesen sei? — Nicht wahr?
Sittah.   Das machst du gut!
Saladin. O, möglicher wär' nichts! Denn Assad war
  Bei hübschen Christendamen so willkommen,
  Auf hübsche Christendamen so erpicht,
  Daß einmal gar die Rede ging — Nun, nun;
  Man spricht nicht gern davon. — Genug; ich hab'
  Ihn wieder! — will mit allen seinen Fehlern,
  Mit allen Launen seines weichen Herzens
  Ihn wieder haben! — Oh! das Mädchen muß
  Ihm Nathan geben. Meinst du nicht?
Sittah.   Ihm geben?
  Ihm lassen!
Saladin.   Allerdings! Was hätte Nathan,
  Sobald er nicht ihr Vater ist, für Recht
  Auf sie? Wer ihr das Leben so erhielt,
  Tritt einzig in die Rechte des, der ihr
  Es gab.
Sittah. Wie also, Saladin? wenn du
  Nur gleich das Mädchen zu dir nähmst? Sie nur

Dem unrechtmäßigen Besitzer gleich
Entzögest?
Saladin. Täte das wohl not?
Sittah.   Not nun
Wohl eben nicht! — Die liebe Neubegier
Treibt mich allein, dir diesen Rat zu geben.
Denn von gewissen Männern mag ich gar
Zu gern, so bald wie möglich, wissen, was
Sie für ein Mädchen lieben können.
Saladin.   Nun,
So schick' und laß sie holen.
Sittah.   Darf ich, Bruder?
Saladin. Nur schone Nathans! Nathan muß durchaus
Nicht glauben, daß man mit Gewalt ihn von
Ihr trennen wolle.
Sittah.   Sorge nicht.
Saladin.   Und ich,
Ich muß schon selbst sehn, wo Al-Hafi bleibt.

SECHSTER AUFTRITT

(Szene: die offne Flur in Nathans Hause, gegen die Pal-
men zu; wie im ersten Auftritte des ersten Aufzuges. Ein
Teil der Waren und Kostbarkeiten liegt ausgekramt,
deren ebendaselbst gedacht wird.)

Nathan und Daja.

Daja. O, alles herrlich! alles auserlesen!
O, alles — wie nur Ihr es geben könnt.
Wo wird der Silberstoff mit goldnen Ranken
Gemacht? Was kostet er? — Das nenn' ich noch
Ein Brautkleid! Keine Königin verlangt
Es besser.
Nathan. Brautkleid? Warum Brautkleid eben?
Daja. Je nun! Ihr dachtet daran freilich nicht,
Als Ihr ihn kauftet. — Aber wahrlich, Nathan,
Der und kein andrer muß es sein! Er ist
Zum Brautkleid wie bestellt. Der weiße Grund;
Ein Bild der Unschuld: und die goldnen Ströme,

Die allerorten diesen Grund durchschlängeln;
Ein Bild des Reichtums. Seht Ihr? Allerliebst!
Nathan.
　Was witzelst du mir da? Von wessen Brautkleid
　Sinnbilderst du mir so gelehrt? — Bist du
　Denn Braut?
Daja.　　Ich?
Nathan.　　　Nun wer denn?
Daja.　　　　　　Ich? — lieber Gott!
Nathan.
　Wer denn? Von wessen Brautkleid sprichst du denn? —
　Das alles ist ja dein, und keiner andern.
Daja. Ist mein? Soll mein sein? — Ist für Recha nicht?
Nathan. Was ich für Recha mitgebracht, das liegt
　In einem andern Ballen. Mach'! nimm weg!
　Trag deine Siebensachen fort!
Daja.　　　　　Versucher!
　Nein, wären es die Kostbarkeiten auch
　Der ganzen Welt! Nicht rühr' an! wenn Ihr mir
　Vorher nicht schwört, von dieser einzigen
　Gelegenheit, dergleichen Euch der Himmel
　Nicht zweimal schicken wird, Gebrauch zu machen.
Nathan. Gebrauch? von was? — Gelegenheit? wozu?
Daja.
　O stellt Euch nicht so fremd! — Mit kurzen Worten!
　Der Tempelherr liebt Recha: gebt sie ihm,
　So hat doch einmal Eure Sünde, die
　Ich länger nicht verschweigen kann, ein Ende.
　So kömmt das Mädchen wieder unter Christen;
　Wird wieder, was sie ist; ist wieder, was
　Sie ward: und Ihr, Ihr habt mit all dem Guten,
　Das wir Euch nicht genug verdanken können,
　Nicht Feuerkohlen bloß auf Euer Haupt
　Gesammelt.
Nathan.　　Doch die alte Leier wieder? —
　Mit einer neuen Saite nur bezogen,
　Die, fürcht' ich, weder stimmt noch hält.
Daja.　　　　　　　Wieso?
Nathan.
　Mir wär' der Tempelherr schon recht. Ihm gönnt'

    Ich Recha mehr als einem in der Welt.
    Allein ... Nun, habe nur Geduld.
D a j a.   Geduld?
    Geduld ist Eure alte Leier nun
    Wohl nicht?
N a t h a n.   Nur wenig Tage noch Geduld! ...
    Sieh doch! — Wer kömmt denn dort?
                       Ein Klosterbruder?
    Geh, frag' ihn was er will.
D a j a.   Was wird er wollen?
    (Sie geht auf ihn zu und fragt.)
N a t h a n.
    So gib! — und eh' er bittet. — (Wüßt' ich nur
    Dem Tempelherrn erst beizukommen, ohne
    Die Ursach' meiner Neugier ihm zu sagen!
    Denn wenn ich sie ihm sag', und der Verdacht
    Ist ohne Grund: so hab' ich ganz umsonst
    Den Vater auf das Spiel gesetzt.) — Was ist's?
D a j a.
    Er will Euch sprechen.
N a t h a n.   Nun, so laß ihn kommen;
    Und geh indes.

SIEBENTER AUFTRITT

Nathan und der Klosterbruder.

N a t h a n.   (Ich bliebe Rechas Vater
    Doch gar zu gern! — Zwar kann ich's denn nicht
                     bleiben,
    Auch wenn ich aufhör', es zu heißen? — Ihr,
    Ihr selbst werd' ich's doch immer auch noch heißen,
    Wenn sie erkennt, wie gern ich's wäre.) — Geh! —
    Was ist zu Euern Diensten, frommer Bruder?
K l o s t e r b r u d e r.
    Nicht eben viel. — Ich freue mich, Herr Nathan,
    Euch annoch wohl zu sehn.
N a t h a n.   So kennt Ihr mich?
K l o s t e r b r u d e r.
    Je nu; wer kennt Euch nicht? Ihr habt so manchem

Ja Euern Namen in die Hand gedrückt.
Er steht in meiner auch, seit vielen Jahren.
N a t h a n *(nach seinem Beutel langend).*
  Kommt, Bruder, kommt; ich frisch' ihn auf.
K l o s t e r b r u d e r.   Habt Dank!
  Ich würd' es Ärmern stehlen; nehme nichts. —
  Wenn Ihr mir nur erlauben wollt, ein wenig
  Euch *meinen* Namen aufzufrischen. Denn
  Ich kann mich rühmen, auch in *Eure* Hand
  Etwas gelegt zu haben, was nicht zu
  Verachten war.
N a t h a n.   Verzeiht! — Ich schäme mich —
  Sagt, was? — und nehmt zur Buße siebenfach
  Den Wert desselben von mir an.
K l o s t e r b r u d e r.   Hört doch
  Vor allen Dingen, wie ich selber nur
  Erst heut an dies mein Euch vertrautes Pfand
  Erinnert worden.
N a t h a n.   Mir vertrautes Pfand?
K l o s t e r b r u d e r.
  Vor kurzem saß ich noch als Eremit
  Auf Quarantana, unweit Jericho.
  Da kam arabisch Raubgesindel, brach
  Mein Gotteshäuschen ab und meine Zelle
  Und schleppte mich mit fort. Zum Glück entkam
  Ich noch und floh hierher zum Patriarchen,
  Um mir ein ander Plätzchen auszubitten,
  Allwo ich meinem Gott in Einsamkeit
  Bis an mein selig Ende dienen könne.
N a t h a n.
  Ich steh' auf Kohlen, guter Bruder. Macht
  Es kurz. Das Pfand! das mir vertraute Pfand!
K l o s t e r b r u d e r.
  Sogleich, Herr Nathan. — Nun, der Patriarch
  Versprach mir eine Siedelei auf Tabor,
  Sobald als eine leer; und hieß inzwischen
  Im Kloster mich als Laienbruder bleiben.
  Da bin ich itzt, Herr Nathan; und verlange
  Des Tags wohl hundertmal auf Tabor. Denn
  Der Patriarch braucht mich zu allerlei,

Wovor ich großen Ekel habe. Zum
Exempel:
N a t h a n. Macht, ich bitt' Euch!
K l o s t e r b r u d e r.   Nun, es kömmt! —
Da hat ihm jemand heut ins Ohr gesetzt:
Es lebe hier herum ein Jude, der
Ein Christenkind als seine Tochter sich
Erzöge.
N a t h a n. Wie? *(betroffen.)*
K l o s t e r b r u d e r. Hört mich nur aus! — Indem
Er mir nun aufträgt, diesem Juden stracks,
Wo möglich, auf die Spur zu kommen, und
Gewaltig sich ob eines solchen Frevels
Erzürnt, der ihm die wahre Sünde wider
Den heil'gen Geist bedünkt; — das ist, die Sünde,
Die aller Sünden größte Sünd' uns gilt,
Nur daß wir, Gott sei Dank, so recht nicht wissen,
Worin sie eigentlich besteht: — da wacht
Mit einmal mein Gewissen auf; und mir
Fällt bei, ich könnte selber wohl vor Zeiten
Zu dieser unverzeihlich großen Sünde
Gelegenheit gegeben haben. — Sagt:
Hat Euch ein Reitknecht nicht vor achtzehn Jahren
Ein Töchterchen gebracht von wenig Wochen?
N a t h a n. Wie das? — Nun freilich — allerdings —
K l o s t e r b r u d e r.   Ei, seht
Mich doch recht an! — Der Reitknecht, der bin ich.
N a t h a n.
Seid ihr?
K l o s t e r b r u d e r.
          Der Herr, von welchem ich's Euch brachte,
War — ist mir recht — ein Herr von Filnek. — Wolf
Von Filnek!
N a t h a n.   Richtig!
K l o s t e r b r u d e r. Weil die Mutter kurz
Vorher gestorben war; und sich der Vater
Nach — mein' ich — Gazza plötzlich werfen mußte,
Wohin das Würmchen ihm nicht folgen konnte:
So sandt' er's Euch. Und traf ich Euch damit
Nicht in Darun?

Nathan.   Ganz recht!
Klosterbruder.   Es wär' kein Wunder,
  Wenn mein Gedächtnis mich betrög'. Ich habe
  Der braven Herrn so viel gehabt; und diesem
  Hab' ich nur gar zu kurze Zeit gedient.
  Er blieb bald drauf bei Askalon: und war
  Wohl sonst ein lieber Herr.
Nathan.   Ja wohl! ja wohl!
  Dem ich so viel, so viel zu danken habe!
  Der mehr als einmal mich dem Schwert entrissen!
Klosterbruder.
  O schön! So werd't Ihr seines Töchterchens
  Euch um so lieber angenommen haben.
Nathan. Das könnt Ihr denken.
Klosterbruder.   Nun, wo ist es denn?
  Es ist doch wohl nicht etwa gar gestorben? —
  Laßt's lieber nicht gestorben sein! — Wenn sonst
  Nur niemand um die Sache weiß: so hat
  Es gute Wege.
Nathan.   Hat es?
Klosterbruder.   Traut mir, Nathan!
  Denn seht, ich denke so! Wenn an das Gute,
  Das ich zu tun vermeine, gar zu nah
  Was gar zu Schlimmes grenzt: so tu' ich lieber
  Das Gute nicht; weil wir das Schlimme zwar
  So ziemlich zuverlässig kennen, aber
  Bei weiten nicht das Gute. — War ja wohl
  Natürlich; wenn das Christentöchterchen
  Recht gut von Euch erzogen werden sollte:
  Daß Ihr's als Euer eigen Töchterchen
  Erzögt. — Das hättet Ihr mit aller Lieb'
  Und Treue nun getan, und müßtet so
  Belohnet werden? Das will mir nicht ein.
  Ei freilich, klüger hättet Ihr getan;
  Wenn Ihr die Christin durch die zweite Hand
  Als Christin auferziehen lassen: aber
  So hättet Ihr das Kindchen Eures Freunds
  Auch nicht geliebt. Und Kinder brauchen Liebe,
  Wär's eines wilden Tieres Lieb' auch nur,
  In solchen Jahren mehr, als Christentum.

Zum Christentume hat's noch immer Zeit.
Wenn nur das Mädchen sonst gesund und fromm
Vor Euern Augen aufgewachsen ist,
So blieb's vor Gottes Augen, was es war.
Und ist denn nicht das ganze Christentum
Aufs Judentum gebaut? Es hat mich oft
Geärgert, hat mir Tränen g'nug gekostet,
Wenn Christen gar so sehr vergessen konnten,
Daß unser Herr ja selbst ein Jude war.

N a t h a n.
Ihr, guter Bruder, müßt mein Fürsprach sein,
Wenn Haß und Gleisnerei sich gegen mich
Erheben sollten, — wegen einer Tat —
Ah, wegen einer Tat! — Nur Ihr, Ihr sollt
Sie wissen! — Nehmt sie aber mit ins Grab!
Noch hat mich nie die Eitelkeit versucht,
Sie jemand andern zu erzählen. Euch
Allein erzähl' ich sie. Der frommen Einfalt
Allein erzähl' ich sie. Weil die allein
Versteht, was sich der gottergebne Mensch
Für Taten abgewinnen kann.

K l o s t e r b r u d e r.   Ihr seid
Gerührt, und Euer Auge steht voll Wasser?

N a t h a n. Ihr traft mich mit dem Kinde zu Darun.
Ihr wißt wohl aber nicht, daß wenig Tage
Zuvor, in Gath die Christen alle Juden
Mit Weib und Kind ermordet hatten; wißt
Wohl nicht, daß unter diesen meine Frau
Mit sieben hoffnungsvollen Söhnen sich
Befunden, die in meines Bruders Hause,
Zu dem ich sie geflüchtet, insgesamt
Verbrennen müssen.

K l o s t e r b r u d e r. Allgerechter!

N a t h a n.   Als
Ihr kamt, hatt' ich drei Tag' und Näct' in Asch'
Und Staub vor Gott gelegen, und geweint. —
Geweint? Beiher mit Gott auch wohl gerechtet,
Gezürnt, getobt, mich und die Welt verwünscht;
Der Christenheit den unversöhnlichsten
Haß zugeschworen —

Klosterbruder.   Ach! Ich glaub's Euch wohl!
Nathan.
    Doch nun kam die Vernunft allmählich wieder.
    Sie sprach mit sanfter Stimm': „und doch ist Gott!
    Doch war auch Gottes Ratschluß das! Wohlan!
    Komm! übe, was du längst begriffen hast,
    Was sicherlich zu üben schwerer nicht,
    Als zu begreifen ist, wenn du nur willst.
    Steh auf!" — Ich stand! und rief zu Gott: ich will!
    Willst du nur, daß ich will! — Indem stiegt Ihr
    Vom Pferd, und überreichtet mir das Kind,
    In Euern Mantel eingehüllt. — Was Ihr
    Mir damals sagtet; was ich Euch: hab' ich
    Vergessen. Soviel weiß ich nur; ich nahm
    Das Kind, trug's auf mein Lager, küßt' es, warf
    Mich auf die Knie und schluchzte: Gott! auf Sieben
    Doch nun schon Eines wieder!
Klosterbruder.   Nathan! Nathan!
    Ihr seid ein Christ! — Bei Gott, Ihr seid ein Christ!
    Ein beßrer Christ war nie!
Nathan.   Wohl uns! Denn was
    Mich Euch zum Christen macht, das macht Euch mir
    Zum Juden! — Aber laßt uns länger nicht
    Einander nur erweichen. Hier braucht's Tat!
    Und ob mich siebenfache Liebe schon
    Bald an dies einz'ge fremde Mädchen band,
    Ob der Gedanke mich schon tötet, daß
    Ich meine sieben Söhn' in ihr aufs neue
    Verlieren soll: — wenn sie von meinen Händen
    Die Vorsicht wieder fodert, — ich gehorche!
Klosterbruder.
    Nun vollends! — Eben das bedacht' ich mich
    So viel, Euch anzuraten! Und so hat's
    Euch Euer guter Geist schon angeraten!
Nathan. Nur muß der erste beste mir sie nicht
    Entreißen wollen!
Klosterbruder. Nein, gewiß nicht!
Nathan.   Wer
    Auf sie nicht größre Rechte hat, als ich,
    Muß frühere zum mind'sten haben —

Klosterbruder.   Freilich!
Nathan. Die ihm Natur und Blut erteilen.
Klosterbruder.   So
  Mein' ich es auch!
Nathan.   Drum nennt mir nur geschwind
  Den Mann, der ihr als Bruder oder Ohm,
  Als Vetter oder sonst als Sipp' verwandt:
  Ihm will ich sie nicht vorenthalten — Sie,
  Die jedes Hauses, jedes Glaubens Zierde
  Zu sein erschaffen und erzogen ward. —
  Ich hoff', Ihr wißt von diesem Euern Herrn
  Und dem Geschlechte dessen, mehr als ich.
Klosterbruder.
  Das, guter Nathan, wohl nun schwerlich! — Denn
  Ihr habt ja schon gehört, daß ich nur gar
  Zu kurze Zeit bei ihm gewesen.
Nathan.   Wißt
  Ihr denn nicht wenigstens, was für Geschlechts
  Die Mutter war? — War sie nicht eine Stauffin?
Klosterbruder.
  Wohl möglich! — Ja, mich dünkt.
Nathan.   Hieß nicht ihr Bruder
  Conrad von Stauffen? — und war Tempelherr?
Klosterbruder.
  Wenn mich's nicht trügt. Doch halt! Da fällt mir ein,
  Daß ich vom sel'gen Herrn ein Büchelchen
  Noch hab'. Ich zog's ihm aus dem Busen, als
  Wir ihn bei Askalon verscharrten.
Nathan.   Nun?
Klosterbruder.
  Es sind Gebete drin. Wir nennen's ein
  Brevier. — Das, dacht' ich, kann ein Christenmensch
  Ja wohl noch brauchen. — Ich nun freilich nicht —
  Ich kann nicht lesen —
Nathan.   Tut nichts! — Nur zur Sache.
Klosterbruder.
  In diesem Büchelchen stehn vorn und hinten,
  Wie ich mir sagen lassen, mit des Herrn
  Selbsteigner Hand, die Angehörigen
  Von ihm und ihr geschrieben.

Nathan.   O erwünscht!
  Geht! lauft! holt mir das Büchelchen. Geschwind!
  Ich bin bereit mit Gold es aufzuwiegen;
  Und tausend Dank dazu! Eilt! lauft!
Klosterbruder.   Recht gern!
  Es ist Arabisch aber, was der Herr
  Hineingeschrieben. *(Ab.)*
Nathan.   Einerlei! Nur her! —
  Gott! wenn ich doch das Mädchen noch behalten,
  Und einen solchen Eidam mir damit
  Erkaufen könnte! — Schwerlich wohl! — Nun, fall'
  Es aus, wie's will! — Wer mag es aber denn
  Gewesen sein, der bei dem Patriarchen
  So etwas angebracht? Das muß ich doch
  Zu fragen nicht vergessen. — Wenn es gar
  Von Daja käme?

ACHTER AUFTRITT

Daja und Nathan.

Daja *(eilig und verlegen).*
                    Denkt doch, Nathan!
Nathan.   Nun?
Daja. Das arme Kind erschrak wohl recht darüber!
  Da schickt ...
Nathan.   Der Patriarch?
Daja.   Des Sultans Schwester,
  Prinzessin Sittah ...
Nathan.   Nicht der Patriarch?
Daja.
  Nein, Sittah! — Hört Ihr nicht! — Prinzessin Sittah
  Schickt her, und läßt sie zu sich holen?
Nathan.   Wen?
  Läßt Recha holen? — Sittah läßt sie holen? —
  Nun; wenn sie Sittah holen läßt, und nicht
  Der Patriarch ...
Daja.   Wie kommt Ihr denn auf den?
Nathan. So hast du kürzlich nichts von ihm gehört?
  Gewiß nicht? Auch ihm nichts gesteckt?

D a j a.   Ich? ihm?
N a t h a n. Wo sind die Boten?
D a j a.   Vorn.
N a t h a n.   Ich will sie doch
  Aus Vorsicht selber sprechen. Komm! — Wenn nur
  Vom Patriarchen nichts dahinter steckt. *(Ab.)*
D a j a. Und ich — ich fürchte ganz was anders noch.
  Was gilt's? die einzige vermeinte Tochter
  So eines reichen Juden wär' auch wohl
  Für einen Muselmann nicht übel? — Hui,
  Der Tempelherr ist drum. Ist drum: wenn ich
  Den zweiten Schritt nicht auch noch wage; nicht
  Auch ihr noch selbst entdecke, wer sie ist! —
  Getrost! Laß mich den ersten Augenblick,
  Den ich allein sie habe, dazu brauchen!
  Und der wird sein — vielleicht nun eben, wenn
  Ich sie begleite. So ein erster Wink
  Kann unterwegens wenigstens nicht schaden.
  Ja, ja! Nur zu! Itzt oder nie! Nur zu! *(Ihm nach.)*

FÜNFTER AUFZUG

ERSTER AUFTRITT

*(Szene: das Zimmer in Saladins Palaste, in welches die
Beutel mit Geld getragen worden, die noch zu sehen.)*

Saladin und bald darauf verschiedne Mamelucken.

Saladin *(im Hereintreten).*
  Da steht das Geld nun noch! Und niemand weiß
  Den Derwisch aufzufinden, der vermutlich
  Ans Schachbrett irgendwo geraten ist,
  Das ihn wohl seiner selbst vergessen macht; —
  Warum nicht meiner? — Nun, Geduld! Was gibt's?
Ein Mameluck.
  Erwünschte Nachricht, Sultan! Freude, Sultan!...
  Die Karawane von Kahira kömmt,
  Ist glücklich da! mit siebenjährigem
  Tribut des reichen Nils.
Saladin.   Brav, Ibrahim!
  Du bist mir wahrlich ein willkommner Bote! —
  Ha! endlich einmal! endlich! — Habe Dank
  Der guten Zeitung.
Der Mameluck *(wartend).*
                    (Nun? nur her damit!)
Saladin. Was wartst du? — Geh nur wieder.
Der Mameluck.   Dem Willkommnen
  Sonst nichts?
Saladin.   Was denn noch sonst?
Der Mameluck.   Dem guten Boten
  Kein Botenbrot? — So wär' ich ja der erste,
  Den Saladin mit Worten abzulohnen
  Doch endlich lernte? — Auch ein Ruhm! — der erste,
  Mit dem er knickerte.
Saladin.   So nimm dir nur
  Dort ein Beutel.

Der Mameluck. Nein, nun nicht! Du kannst
  Mir sie nun alle schenken wollen.
Saladin.   Trotz! —
  Komm her! Da hast du zwei. — Im Ernst? er geht?
  Tut mir's an Edelmut zuvor? — Denn sicher
  Muß ihm es saurer werden, auszuschlagen,
  Als mir zu geben. — Ibrahim! — Was kömmt
  Mir denn auch ein, so kurz vor meinem Abtritt
  Auf einmal ganz ein andrer sein zu wollen? —
  Will Saladin als Saladin nicht sterben? —
  So mußt' er auch als Saladin nicht leben.
Ein zweiter Mameluck.
  Nun, Sultan! . . .
Saladin.   Wenn du mir zu melden kömmst . .
Zweiter Mameluck.
  Daß aus Ägypten der Transport nun da!
Saladin.
  Ich weiß schon.
Zweiter Mameluck.
         Kam ich doch zu spät!
Saladin.   Warum
  Zu spät? — Da nimm für deinen guten Willen
  Der Beutel einen oder zwei.
Zweiter Mameluck.   Macht drei!
Saladin.
  Ja, wenn du rechnen kannst! — So nimm sie nur.
Zweiter Mameluck.
  Es wird wohl noch ein Dritter kommen, — wenn
  Er anders kommen kann.
Saladin.   Wie das?
Zweiter Mameluck.   Je nu;
  Er hat auch wohl den Hals gebrochen! Denn
  Sobald wir drei der Ankunft des Transports
  Versichert waren, sprengte jeder frisch
  Davon. Der Vorderste, der stürzt'; und so
  Komm' ich nun vor, und bleib' auch vor bis in
  Die Stadt; wo aber Ibrahim, der Lecker
  Die Gassen besser kennt.
Saladin.   O, der gestürzte!
  Freund, der gestürzte! — Reit ihm doch entgegen.

Z w e i t e r M a m e l u c k.
> Das werd' ich ja wohl tun! — Und wenn er lebt:
> So ist die Hälfte dieser Beutel sein. *(Geht ab.)*

S a l a d i n. Sieh, welch ein guter, edler Kerl auch das! —
> Wer kann sich solcher Mamelucken rühmen?
> Und wär' mir denn zu denken nicht erlaubt,
> Daß sie mein Beispiel bilden helfen? — Fort
> Mit dem Gedanken, sie zu guter Letzt
> Noch an ein anders zu gewöhnen! . . .

E i n d r i t t e r M a m e l u c k.   Sultan, . . .

S a l a d i n. Bist du's, der stürzte?

D r i t t e r M a m e l u c k.   Nein. Ich melde nur, —
> Daß Emir Mansor, der die Karawane
> Geführt, vom Pferde steigt . . .

S a l a d i n.   Bring' ihn! geschwind! —
> Da ist er ja! —

ZWEITER AUFTRITT

Emir Mansor und Saladin.

S a l a d i n.   Willkommen, Emir! Nun,
> Wie ist's gegangen? — Mansor, Mansor, hast
> Uns lange warten lassen!

M a n s o r.   Dieser Brief
> Berichtet, was dein Abulkassem erst
> Für Unruh' in Thebais dämpfen müssen:
> Eh' wir es wagen durften abzugehen.
> Den Zug darauf hab' ich beschleuniget
> So viel, wie möglich war.

S a l a d i n.   Ich glaube dir! —
> Und nimm nur, guter Mansor, nimm sogleich . . .
> Du tust es aber doch auch gern? . . . nimm frische
> Bedeckung nur sogleich. Du mußt sogleich
> Noch weiter; mußt der Gelder größern Teil
> Auf Libanon zum Vater bringen.

M a n s o r.   Gern!
> Sehr gern!

S a l a d i n. Und nimm dir die Bedeckung ja
> Nur nicht zu schwach. Es ist um Libanon

Nicht alles mehr so sicher. Hast du nicht
Gehört? Die Tempelherrn sind wieder rege.
Sei wohl auf deiner Hut! — Komm nur! Wo hält
Der Zug? Ich will ihn sehn; und alles selbst
Betreiben. — Ihr! ich bin sodann bei Sittah.

DRITTER AUFTRITT

*Szene: die Palmen vor Nathans Hause, wo der Tempel-
herr auf- und niedergeht*

Ins Haus nun will ich einmal nicht. — Er wird
Sich endlich doch wohl sehen lassen! — Man
Bemerkte mich ja sonst so bald, so gern! —
Will's noch erleben, daß er sich's verbittet,
Vor seinem Hause mich so fleißig finden
Zu lassen. — Hm! — ich bin doch aber auch
Sehr ärgerlich. — Was hat mich denn nun so
Erbittert gegen ihn? — Er sagte ja:
Noch schlüg' er mir nichts ab. Und Saladin
Hat's über sich genommen, ihn zu stimmen. —
Wie? sollte wirklich wohl in mir der Christ
Noch tiefer nisten, als in ihm der Jude? —
Wer kennt sich recht? Wie könnt' ich ihm denn sonst
Den kleinen Raub nicht gönnen wollen, den
Er sich's zu solcher Angelegenheit
Gemacht, den Christen abzujagen? — Freilich;
Kein kleiner Raub, ein solch Geschöpf! — Geschöpf?
Und wessen? — Doch des Sklaven nicht, der auf
Des Lebens öden Strand den Block geflößt,
Und sich davon gemacht? Des Künstlers doch
Wohl mehr, der in dem hingeworfnen Blocke
Die göttliche Gestalt sich dachte, die
Er dargestellt? — Ach! Rechas wahrer Vater
Bleibt, trotz dem Christen, der sie zeugte, — bleibt
In Ewigkeit der Jude. — Wenn ich mir
Sie lediglich als Christendirne denke,
Sie sonder alles das mir denke, was
Allein ihr so ein Jude geben konnte: —
Sprich, Herz, — was wär' an ihr, das dir gefiel?

Nichts! Wenig! Selbst ihr Lächeln, wär' es nichts
Als sanfte schöne Zuckung ihrer Muskeln;
Wär', was sie lächeln macht, des Reizes unwert,
In den es sich auf ihrem Munde kleidet: —
Nein; selbst ihr Lächeln nicht! Ich hab' es ja
Wohl schöner noch an Aberwitz, an Tand,
An Höhnerei, an Schmeichler und an Buhler
Verschwenden sehn! — Hat's da mich auch bezaubert?
Hat's da mir auch den Wunsch entlockt, mein Leben
In seinem Sonnenscheine zu verflattern? —
Ich wüßte nicht. Und bin auf den doch launisch,
Der diesen höhern Wert allein ihr gab?
Wie das? warum? — Wenn ich den Spott verdiente,
Mit dem mich Saladin entließ! Schon schlimm
Genug, daß Saladin es glauben konnte!
Wie klein ich ihm da scheinen mußte! wie
Verächtlich! — Und das alles um ein Mädchen? —
Curd! Curd! das geht so nicht. Lenk' ein! Wenn
                         vollends
Mir Daja nur was vorgeplaudert hätte,
Was schwerlich zu erweisen stünde? — Sieh,
Da tritt er endlich, im Gespräch vertieft,
Aus seinem Hause! — Ha! mit wem! — Mit ihm?
Mit meinem Klosterbruder? — Ha! so weiß
Er sicherlich schon alles! ist wohl gar
Dem Patriarchen schon verraten! — Ha!
Was hab' ich Querkopf nun gestiftet! — Daß
Ein einz'ger Funken dieser Leidenschaft
Doch unsers Hirns so viel verbrennen kann! —
Geschwind entschließ dich, was nunmehr zu tun!
Ich will hier seitwärts ihrer warten; — ob
Vielleicht der Klosterbruder ihn verläßt.

VIERTER AUFTRITT

Nathan und der Klosterbruder.

N a t h a n *(im Näherkommen)*.
　Habt nochmals, guter Bruder, vielen Dank!
K l o s t e r b r u d e r.
　Und Ihr desgleichen!
N a t h a n.　　　　　　　Ich? von Euch? wofür?
　Für meinen Eigensinn, Euch aufzudringen,
　Was Ihr nicht braucht? — Ja, wenn ihm Eurer nur
　Auch nachgegeben hätt'; Ihr mit Gewalt
　Nicht wolltet reicher sein, als ich.
K l o s t e r b r u d e r.　　　　　Das Buch
　Gehört ja ohnedem nicht mir; gehört
　Ja ohnedem der Tochter; ist ja so
　Der Tochter ganzes väterliches Erbe. —
　Je nu, sie hat ja Euch. — Gott gebe nur,
　Daß Ihr es nie bereuen dürft, so viel
　Für sie getan zu haben!
N a t h a n.　　　　　　Kann ich das?
　Das kann ich nie. Seid unbesorgt!
K l o s t e r b r u d e r.　　　　Nu, nu!
　Die Patriarchen und die Tempelherren . . .
N a t h a n. Vermögen mir des Bösen nie so viel
　Zu tun, daß irgend was mich reuen könnte:
　Geschweige, das! — Und seid Ihr denn so ganz
　Versichert, daß ein Tempelherr es ist,
　Der Euern Patriarchen hetzt?
K l o s t e r b r u d e r.　　　　Es kann
　Beinah' kein andrer sein. Ein Tempelherr
　Sprach vorher kurz mit ihm; und was ich hörte,
　Das klang darnach.
N a t h a n.　　　　Es ist doch aber nur
　Ein einziger itzt in Jerusalem.
　Und diesen kenn' ich. Dieser ist mein Freund.
　Ein junger, edler, offner Mann!
K l o s t e r b r u d e r.　　　　Ganz recht;
　Der nämliche! — Doch was man ist, und was
　Man sein muß in der Welt, das paßt ja wohl
　Nicht immer.

Nathan.　　Leider nicht. — So tue, wer's
　Auch immer ist, sein Schlimmstes oder Bestes!
　Mit Euerm Buche, Bruder, trotz' ich allen;
　Und gehe graden Wegs damit zum Sultan.
Klosterbruder.
　Viel Glücks! Ich will Euch denn nur hier verlassen.
Nathan.
　Und habt sie nicht einmal gesehn? — Kommt ja
　Doch bald, doch fleißig wieder. — Wenn nur heut
　Der Patriarch noch nichts erfährt! — Doch was?
　Sagt ihm auch heute, was Ihr wollt.
Klosterbruder.　　　　　　　　Ich nicht.
　Lebt wohl! *(Geht ab.)*
Nathan.　　Vergeßt uns ja nicht, Bruder! — Gott!
　Daß ich nicht hier gleich unter freiem Himmel
　Auf meine Kniee sinken kann! Wie sich
　Der Knoten, der so oft mir bange machte,
　Nun von sich selber löset! — Gott! wie leicht
　Mir wird, daß ich nun weiter auf der Welt
　Nichts zu verbergen habe! daß ich vor
　Den Menschen nun so frei kann wandeln, als
　Vor dir, der du allein den Menschen nicht
　Nach seinen Taten brauchst zu richten, die
　So selten seine Taten sind, o Gott! —

FÜNFTER AUFTRITT

Nathan und der Tempelherr, der von der Seite auf ihn
zu kömmt.

Tempelherr.
　He! wartet, Nathan; nehmt mich mit!
Nathan.　　　　　　　　　　　Wer ruft? —
　Seid Ihr es, Ritter? Wo gewesen, daß
　Ihr bei dem Sultan Euch nicht treffen lassen?
Tempelherr.
　Wir sind einander fehlgegangen. Nehmt's
　Nicht übel.
Nathan.　　Ich nicht; aber Saladin ...
Tempelherr. Ihr wart nur eben fort ...

Nathan.   Und spracht ihn doch?
Nun, so ist's gut.
Tempelherr. Er will uns aber beide
Zusammen sprechen.
Nathan.   Desto besser. Kommt
Nur mit. Mein Gang stand ohnehin zu ihm. —
Tempelherr.
Ich darf ja doch wohl fragen, Nathan, wer
Euch da verließ?
Nathan.   Ihr kennt ihn doch wohl nicht?
Tempelherr.
War's nicht die gute Haut, der Laienbruder,
Des sich der Patriarch so gern zum Stöber
Bedient?
Nathan. Kann sein! Beim Patriarchen ist
Er allerdings.
Tempelherr. Der Pfiff ist gar nicht übel:
Die Einfalt vor der Schurkerei voraus
Zu schicken.
Nathan. Ja, die dumme; — nicht die fromme.
Tempelherr. An fromme glaubt kein Patriarch.
Nathan.   Für den
Nun steh' ich. Der wird seinem Patriarchen
Nichts Ungebührliches vollziehen helfen.
Tempelherr.
So stellt er wenigstens sich an. — Doch hat
Er Euch von mir denn nichts gesagt?
Nathan.   Von Euch?
Von Euch nun namentlich wohl nichts. — Er weiß
Ja wohl auch schwerlich Euern Namen?
Tempelherr.   Schwerlich.
Nathan. Von einem Tempelherren freilich hat
Er mir gesagt . . .
Tempelherr. Und was?
Nathan.   Womit er Euch
Doch ein für allemal nicht meinen kann!
Tempelherr.
Wer weiß? Laßt doch nur hören.
Nathan.   Daß mich einer
Bei seinem Patriarchen angeklagt . . .

Tempelherr.
  Euch angeklagt? — Das ist, mit seiner Gunst —
  Erlogen. — Hört mich, Nathan! — Ich bin nicht
  Der Mensch, der irgend etwas abzuleugnen
  Imstande wäre. Was ich tat, das tat ich!
  Doch bin ich auch nicht der, der alles, was
  Er tat, als wohlgetan verteid'gen möchte.
  Was sollt' ich eines Fehls mich schämen? Hab'
  Ich nicht den festen Vorsatz ihn zu bessern?
  Und weiß ich etwa nicht, wie weit mit dem
  Es Menschen bringen können? — Hört mich,
                                          Nathan! —
  Ich bin des Laienbruders Tempelherr,
  Der Euch verklagt soll haben, allerdings. —
  Ihr wißt ja, was mich wurmisch machte! was
  Mein Blut in allen Adern sieden machte!
  Ich Gauch! — ich kam, so ganz mit Leib und Seel'
  Euch in die Arme mich zu werfen. Wie
  Ihr mich empfingt — wie kalt — wie lau — denn lau
  Ist schlimmer noch als kalt; wie abgemessen
  Mir auszubeugen Ihr beflissen wart;
  Mit welchen aus der Luft gegriffnen Fragen
  Ihr Antwort mir zu geben scheinen wolltet:
  Das darf ich kaum mir itzt noch denken, wenn
  Ich soll gelassen bleiben. — Hört mich, Nathan! —
  In dieser Gärung schlich mir Daja nach,
  Und warf mir ihr Geheimnis an den Kopf,
  Das mir den Aufschluß Euers rätselhaften
  Betragens zu enthalten schien.
Nathan.   Wie das?
Tempelherr.
  Hört mich nur aus! — Ich bildete mir ein,
  Ihr wolltet, was Ihr einmal nun den Christen
  So abgejagt, an einen Christen wieder
  Nicht gern verlieren. Und so fiel mir ein,
  Euch kurz und gut das Messer an die Kehle
  Zu setzen.
Nathan. Kurz und gut? und gut? — Wo steckt
  Das Gute?
Tempelherr. Hört mich, Nathan! — Allerdings:

Ich tat nicht recht! — Ihr seid wohl gar nicht
                              schuldig. —
Die Närrin Daja weiß nicht was sie spricht —
Ist Euch gehässig — sucht Euch nur damit
In einen bösen Handel zu verwickeln —
Kann sein! kann sein! — Ich bin ein junger Laffe,
Der immer nur an beiden Enden schwärmt;
Bald viel zu viel, bald viel zu wenig tut —
Auch das kann sein! Verzeiht mir, Nathan.
Nathan.   Wenn
Ihr so mich freilich fasset —
Tempelherr.   Kurz, ich ging
Zum Patriarchen! — hab' Euch aber nicht
Genannt. Das ist erlogen, wie gesagt!
Ich hab' ihm bloß den Fall ganz allgemein
Erzählt, um seine Meinung zu vernehmen. —
Auch das hätt' unterbleiben können: ja doch! —
Denn kannt' ich nicht den Patriarchen schon
Als einen Schurken? Konnt' ich Euch nicht selber
Nur gleich zur Rede stellen? — Mußt' ich der
Gefahr, so einen Vater zu verlieren,
Das arme Mädchen opfern? — Nun, was tut's?
Die Schurkerei des Patriarchen, die
So ähnlich immer sich erhält, hat mich
Des nächsten Weges wieder zu mir selbst
Gebracht. — Denn hört mich, Nathan; hört mich
                              aus! —
Gesetzt; er wüßt' auch Euern Namen: was
Nun mehr, was mehr? — Er kann Euch ja das Mädchen
Nur nehmen, wenn sie niemands ist, als Euer.
Er kann sie doch aus *Euerm* Hause nur
Ins Kloster schleppen. — Also — gebt sie mir!
Gebt sie nur mir; und laßt ihn kommen. Ha!
Er soll's wohl bleiben lassen, mir mein Weib
Zu nehmen. — Gebt sie mir; geschwind! — Sie sei
Nun Eure Tochter, oder sei es nicht!
Sei Christin, oder Jüdin, oder keines!
Gleichviel! gleichviel! Ich werd' Euch weder itzt
Noch jemals sonst in meinem ganzen Leben
Darum befragen. Sei, wie's sei!

5. Aufzug, 5. Auftritt

Nathan. Ihr wähnt
Wohl gar, daß mir die Wahrheit zu verbergen
Sehr nötig?

Tempelherr. Sei, wie's sei!

Nathan. Ich hab' es ja
Euch — oder wem es sonst zu wissen ziemt —
Noch nicht geleugnet, daß sie eine Christin,
Und nichts als meine Pflegetochter ist. —
Warum ich's aber ihr noch nicht entdeckt? —
Darüber brauch' ich nur bei ihr mich zu
Entschuldigen.

Tempelherr. Das sollt Ihr auch bei ihr
Nicht brauchen. — Gönnt's ihr doch, daß sie Euch nie
Mit andern Augen darf betrachten! Spart
Ihr die Entdeckung doch! — Noch habt Ihr ja,
Ihr ganz allein, mit ihr zu schalten. Gebt
Sie mir! Ich bitt' Euch, Nathan; gebt sie mir!
Ich bin's allein, der sie zum zweiten Male
Euch retten kann — und will.

Nathan. Ja — konnte! konnte!
Nun auch nicht mehr. Es ist damit zu spät.

Tempelherr.
Wieso? zu spät?

Nathan. Dank sei dem Patriarchen ...

Tempelherr.
Dem Patriarchen? Dank? ihm Dank? wofür?
Dank hätte *der* bei uns verdienen wollen?
Wofür? wofür?

Nathan. Daß wir nun wissen, wem
Sie anverwandt; nun wissen, wessen Händen
Sie sicher ausgeliefert werden kann.

Tempelherr.
Das dank' ihm — wer für mehr ihm danken wird!

Nathan. Aus diesen müßt Ihr sie nun auch erhalten;
Und nicht aus meinen.

Tempelherr. Arme Recha! Was
Dir alles zustößt, arme Recha! Was
Ein Glück für andre Waisen wäre, wird
Dein Unglück! — Nathan! — Und wo sind sie, diese
Verwandte?

Nathan.   Wo sie sind?
Tempelherr.   Und wer sie sind?
Nathan.
   Besonders hat ein Bruder sich gefunden,
   Bei dem Ihr um sie werben müßt.
Tempelherr.   Ein Bruder?
   Was ist er, dieser Bruder? Ein Soldat?
   Ein Geistlicher? — Laßt hören, was ich mir
   Versprechen darf.
Nathan.   Ich glaube, daß er keines
   Von beiden — oder beides ist. Ich kenn'
   Ihn noch nicht recht.
Tempelherr.   Und sonst?
Nathan.   Ein braver Mann!
   Bei dem sich Recha gar nicht übel wird
   Befinden.
Tempelherr.
          Doch ein Christ! — Ich weiß zuzeiten
   Auch gar nicht, was ich von Euch denken soll: —
   Nehmt mir's nicht ungut, Nathan. — Wird sie nicht
   Die Christin spielen müssen, unter Christen?
   Und wird sie, was sie lange gnug gespielt,
   Nicht endlich werden? Wird den lautern Weizen,
   Den Ihr gesät, das Unkraut endlich nicht
   Ersticken? — Und das kümmert Euch so wenig?
   Dem ungeachtet könnt Ihr sagen — Ihr? —
   Daß sie bei ihrem Bruder sich nicht übel
   Befinden werde?
Nathan.   Denk' ich! hoff' ich! — Wenn
   Ihr ja bei ihm was mangeln sollte, hat
   Sie Euch und mich denn nicht noch immer? —
Tempelherr.   Oh!
   Was wird bei ihm ihr mangeln können! Wird
   Das Brüderchen mit Essen und mit Kleidung,
   Mit Naschwerk und mit Putz, das Schwesterchen
   Nicht reichlich gnug versorgen? Und was braucht
   Ein Schwesterchen denn mehr? — Ei freilich: auch
   Noch einen Mann! — Nun, nun, auch den, auch den
   Wird ihr das Brüderchen zu seiner Zeit
   Schon schaffen; wie er immer nur zu finden!

Der Christlichste der Beste! — Nathan, Nathan!
Welch einen Engel hattet Ihr gebildet,
Den Euch nun andre so verhunzen werden!
N a t h a n.
   Hat keine Not! Er wird sich unsrer Liebe
   Noch immer wert genug behaupten.
T e m p e l h e r r.   Sagt
   Das nicht! Von *meiner* Liebe sagt das nicht!
   Denn die läßt nichts sich unterschlagen; nichts.
   Es sei auch noch so klein! Auch keinen Namen! —
   Doch halt! — Argwohnt sie wohl bereits, was mit
   Ihr vorgeht?
N a t h a n.   Möglich; ob ich schon nicht wüßte,
   Woher?
T e m p e l h e r r.
            Auch eben viel; sie soll — sie muß
   In beiden Fällen, was ihr Schicksal droht,
   Von mir zuerst erfahren. Mein Gedanke,
   Sie eher wieder nicht zu sehn, zu sprechen,
   Als bis ich sie die Meine nennen dürfe,
   Fällt weg. Ich eile...
N a t h a n.   Bleibt! wohin?
T e m p e l h e r r.   Zu ihr!
   Zu sehn, ob diese Mädchenseele Manns genug
   Wohl ist, den einzigen Entschluß zu fassen,
   Der ihrer würdig wäre!
N a t h a n.   *Welchen?*
T e m p e l h e r r.   Den:
   Nach Euch und ihrem Bruder weiter nicht
   Zu fragen —
N a t h a n.   Und?
T e m p e l h e r r.   Und mir zu folgen; — wenn
   Sie drüber eines Muselmannes Frau
   Auch werden müßte.
N a t h a n.   Bleibt! Ihr trefft sie nicht.
   Sie ist bei Sittah, bei des Sultans Schwester.
T e m p e l h e r r.
   Seit wenn? warum?
N a t h a n.   Und wollt Ihr da bei ihnen
   Zugleich den Bruder finden: kommt nur mit.

Tempelherr.
    Den Bruder? welchen? Sittahs oder Rechas?
Nathan.
    Leicht beide. Kommt nur mit! Ich bitt' Euch, kommt!
    (Er führt ihn fort.)

SECHSTER AUFTRITT

(Szene: in Sittahs Harem.)

Sittah und Recha in Unterhaltung begriffen.

Sittah.
    Was freu' ich mich nicht deiner, süßes Mädchen! —
    Sei so beklemmt nur nicht! so angst! so schüchtern! —
    Sei munter! sei gesprächiger! vertrauter!
Recha. Prinzessin, ...
Sittah.   Nicht doch! nicht Prinzessin! Nenn'
    Mich Sittah, — deine Freundin, — deine Schwester.
    Nenn' mich dein Mütterchen! — Ich könnte das
    Ja schier auch sein. — So jung! so klug! so fromm!
    Was du nicht alles weißt! nicht alles mußt
    Gelesen haben!
Recha.   Ich gelesen? — Sittah,
    Du spottest deiner kleinen albern Schwester.
    Ich kann kaum lesen.
Sittah.   Kannst kaum, Lügnerin!
Recha. Ein wenig meines Vaters Hand! — Ich meinte,
    Du sprächst von Büchern.
Sittah.   Allerdings! von Büchern.
Recha.
    Nun, Bücher wird mir wahrlich schwer zu lesen! —
Sittah. Im Ernst?
Recha.   In ganzem Ernst. Mein Vater liebt
    Die kalte Buchgelehrsamkeit, die sich
    Mit toten Zeichen ins Gehirn nur drückt,
    Zu wenig.
Sittah.   Ei, was sagst du! — Hat indes
    Wohl nicht sehr unrecht! — Und so manches, was
    Du weißt...?

Recha. Weiß ich allein aus seinem Munde
Und könnte bei dem meisten dir noch sagen,
Wie? wo? warum? er mich's gelehrt.
Sittah. So hängt
Sich freilich alles besser an. So lernt
Mit eins die ganze Seele.
Recha. Sicher hat
Auch Sittah wenig oder nichts gelesen!
Sittah. Wieso? — Ich bin nicht stolz aufs Gegenteil. —
Allein wieso? Dein Grund! Sprich dreist. Dein Grund?
Recha. Sie ist so schlecht und recht; so unverkünstelt;
So ganz sich selbst nur ähnlich . . .
Sittah. Nun?
Recha. Das sollen
Die Bücher uns nur selten lassen! sagt
Mein Vater.
Sittah. O was ist dein Vater für
Ein Mann!
Recha. Nicht wahr?
Sittah. Wie nah er immer doch
Zum Ziele trifft!
Recha. Nicht wahr? — Und diesen Vater —
Sittah. Was ist dir, Liebe?
Recha. Diesen Vater —
Sittah. Gott!
Du weinst?
Recha. Und diesen Vater — Ah! es muß
Heraus! Mein Herz will Luft, will Luft . . .
(Wirft sich, von Tränen überwältiget, zu ihren Füßen.)
Sittah. Kind, was
Geschieht dir? Recha?
Recha. Diesen Vater soll —
Soll ich verlieren!
Sittah. Du? verlieren? ihn?
Wie das? — Sei ruhig! — Nimmermehr! — Steh auf!
Recha. Du sollst vergebens dich zu meiner Freundin,
Zu meiner Schwester nicht erboten haben!
Sittah.
Ich bin's ja! bin's! — Steh doch nur auf! Ich muß
Sonst Hilfe rufen.

R e c h a *(die sich ermannt und aufsteht).*
            Ah! verzeih! vergib! —
   Mein Schmerz hat mich vergessen machen, wer
   Du bist. Vor Sittah gilt kein Winseln, kein
   Verzweifeln. Kalte, ruhige Vernunft
   Will alles über sie vermögen.
   Wes Sache diese bei ihr führt, der siegt!
S i t t a h. Nun dann?
R e c h a.   Nein; meine Freundin, meine Schwester
   Gibt das nicht zu! Gibt nimmer zu, daß mir
   Ein andrer Vater aufgedrungen werde!
S i t t a h. Ein andrer Vater? aufgedrungen? dir?
   Wer kann das? kann das auch nur wollen, Liebe?
R e c h a. Wer? Meine gute böse Daja kann
   Das wollen, — will das können. — Ja; du kennst
   Wohl diese gute böse Daja nicht?
   Nun, Gott vergeb' es ihr! — belohn' es ihr!
   Sie hat mir so viel Gutes, — so viel Böses
   Erwiesen!
S i t t a h.   Böses dir? — So muß sie Gutes
   Doch wahrlich wenig haben.
R e c h a.   Doch! recht viel,
   Recht viel!
S i t t a h.   Wer ist sie?
R e c h a.   Eine Christin, die
   In meiner Kindheit mich gepflegt; mich so
   Gepflegt! — Du glaubst nicht! — Die mir eine Mutter
   So wenig missen lassen! — Gott vergelt'
   Es ihr! — Die aber mich auch so geängstet!
   Mich so gequält!
S i t t a h.   Und über was? warum?
   Wie?
R e c h a.
      Ach! die arme Frau — ich sag' dir's ja —
   Ist eine Christin; — muß aus Liebe quälen; —
   Ist eine von den Schwärmerinnen, die
   Den allgemeinen, einzig wahren Weg
   Nach Gott zu wissen wähnen!
S i t t a h.   Nun versteh' ich!
R e c h a. Und sich gedrungen fühlen, einen jeden,

Der dieses Wegs verfehlt, darauf zu lenken. —
Kaum können sie auch anders. Denn ist's wahr,
Daß dieser Weg allein nur richtig führt:
Wie sollen sie gelassen ihre Freunde
Auf einem andern wandeln sehn, — der ins
Verderben stürzt, ins ewige Verderben?
Es müßte möglich sein, denselben Menschen
Zur selben Zeit zu lieben und zu hassen. —
Auch ist's das nicht, was endlich laute Klagen
Mich über sie zu führen zwingt. Ihr Seufzen,
Ihr Warnen, ihr Gebet, ihr Drohen hätt'
Ich gern noch länger ausgehalten; gern!
Es brachte mich doch immer auf Gedanken,
Die gut und nützlich. Und wem schmeichelt's doch
Im Grunde nicht, sich gar so wert und teuer,
Von wem's auch sei, gehalten fühlen, daß
Er den Gedanken nicht ertragen kann,
Er müss' einmal auf ewig uns entbehren!

Sittah.
  Sehr wahr!

Recha.   Allein — allein — das geht zu weit!
Dem kann ich nichts entgegensetzen; nicht
Geduld, nicht Überlegung; nichts!

Sittah.   Was? wem?

Recha. Was sie mir eben itzt entdeckt will haben.

Sittah. Entdeckt? und eben itzt?

Recha.   Nur eben itzt!
Wir nahten, auf dem Weg hierher, uns einem
Verfallnen Christentempel. Plötzlich stand
Sie still; schien mit sich selbst zu kämpfen; blickte
Mit nassen Augen bald gen Himmel, bald
Auf mich. Komm, sprach sie endlich, laß uns hier
Durch diesen Tempel in die Richte gehn!
Sie geht; ich folg' ihr, und mein Auge schweift
Mit Graus die wankenden Ruinen durch.
Nun steht sie wieder; und ich sehe mich
An den versunknen Stufen eines morschen
Altars mit ihr. Wie ward mir? als sie da
Mit heißen Tränen, mit gerungnen Händen
Zu meinen Füßen stürzte . . .

S i t t a h.   Gutes Kind!
R e c h a. Und bei der Göttlichen, die da wohl sonst
     So manch Gebet erhört, so manches Wunder
     Verrichtet habe, mich beschwor; — mit Blicken
     Des wahren Mitleids mich beschwor, mich meiner
     Doch zu erbarmen! — Wenigstens, ihr zu
     Vergeben, wenn sie mir entdecken müsse,
     Was ihre Kirch' auf mich für Anspruch habe.
S i t t a h. (Unglückliche! — Es ahnte mir!)
R e c h a.   Ich sei
     Aus christlichem Geblüte; sei getauft;
     Sei Nathans Tochter nicht; er nicht mein Vater! —
     Gott! Gott! Er ist nicht mein Vater! — Sittah! Sittah!
     Sieh mich aufs neu' zu deinen Füßen ...
S i t t a h.   Recha!
     Nicht doch! steh auf! — Mein Bruder kömmt!
                              steh auf!

SIEBENTER AUFTRITT

Saladin und die Vorigen.

S a l a d i n. Was gibt's hier, Sittah?
S i t t a h.   Sie ist von sich! Gott!
S a l a d i n.
     Wer ist's?
S i t t a h. Du weißt ja ...
S a l a d i n.   Unsers Nathans Tochter?
     Was fehlt ihr?
S i t t a h.   Komm doch zu dir, Kind! — Der Sultan ..
R e c h a *(die sich auf den Knien zu Saladins Füßen
     schleppt, den Kopf zur Erde gesenkt).*
     Ich steh' nicht auf! nicht eher auf! — mag eher
     Des Sultans Antlitz nicht erblicken! — eher
     Den Abglanz ewiger Gerechtigkeit
     Und Güte nicht in seinen Augen, nicht
     Auf seiner Stirn bewundern ...
S a l a d i n.   Steh ... steh auf!
R e c h a.
     Eh' er mir nicht verspricht ...

S a l a d i n.   Komm! ich verspreche ...
  Sei was es will!
R e c h a.   Nicht mehr, nicht weniger,
  Als meinen Vater mir zu lassen; und
  Mich ihm! — Noch weiß ich nicht, wer sonst mein
                                            Vater
  Zu sein verlangt; — verlangen kann. Will's auch
  Nicht wissen. Aber macht denn nur das Blut
  Den Vater? nur das Blut?
S a l a d i n *(der sie aufhebt).* Ich merke wohl! —
  Wer war so grausam denn, dir selbst — dir selbst
  Dergleichen in den Kopf zu setzen? Ist
  Es denn schon völlig ausgemacht? erwiesen?
R e c h a. Muß wohl! Denn Daja will von meiner Amm'
  Es haben.
S a l a d i n. Deiner Amme!
R e c h a.   Die es sterbend
  Ihr zu vertrauen sich verbunden fühlte.
S a l a d i n. Gar sterbend! — Nicht auch faselnd schon? —
                                            Und wär's
  Auch wahr! — Jawohl: das Blut, das Blut allein
  Macht lange noch den Vater nicht! macht kaum
  Den Vater eines Tieres! gibt zum höchsten
  Das erste Recht, sich diesen Namen zu
  Erwerben! — Laß dir doch nicht bange sein! —
  Und weißt du was? Sobald der Väter zwei
  Sich um dich streiten: — laß sie beide; nimm
  Den dritten! — Nimm dann mich zu deinem Vater!
S i t t a h. O tu's! o tu's!
S a l a d i n.   Ich will ein guter Vater,
  Recht guter Vater sein! — Doch halt! mir fällt
  Noch viel was Bessers bei. — Was brauchst du denn
  Der Väter überhaupt? Wenn sie nun sterben?
  Beizeiten sich nach einem umgesehn,
  Der mit uns um die Wette leben will!
  Kennst du noch keinen? ...
S i t t a h.   Mach' sie nicht erröten!
S a l a d i n. Das hab' ich allerdings mir vorgesetzt.
  Erröten macht die Häßlichen so schön:
  Und sollte Schöne nicht noch schöner machen? —

Ich habe deinen Vater Nathan; und
Noch einen — einen noch hierher bestellt.
Errätst du ihn? — Hierher! Du wirst mir doch
Erlauben, Sittah?
S i t t a h.   Bruder!
S a l a d i n.   Daß du ja
Vor ihm recht sehr errötest, liebes Mädchen!
R e c h a. Vor wem? erröten? . . .
S a l a d i n.   Kleine Heuchlerin!
Nun, so erblasse lieber! — Wie du willst
Und kannst! —
(Eine Sklavin tritt herein und nahet sich Sittah.)
                    Sie sind doch etwa nicht schon da?
S i t t a h *(zur Sklavin).*
Gut! laß sie nur herein. — Sie sind es, Bruder!

LETZTER AUFTRITT

Nathan und der Tempelherr zu den Vorigen.

S a l a d i n. Ah, meine guten lieben Freunde! — Dich,
Dich, Nathan, muß ich nur vor allen Dingen
Bedeuten, daß du nun, sobald du willst,
Dein Geld kannst wieder holen lassen! . . .
N a t h a n.   Sultan! . . .
S a l a d i n.
Nun steh' ich auch zu deinen Diensten . . .
N a t h a n.   Sultan! . . .
S a l a d i n. Die Karawan' ist da. Ich bin so reich
Nun wieder, als ich lange nicht gewesen. —
Komm, sag' mir, was du brauchst, so recht was Großes
Zu unternehmen! Denn auch ihr, auch ihr,
Ihr Handelsleute, könnt des baren Geldes
Zuviel nie haben!
N a t h a n.   Und warum zuerst
Von dieser Kleinigkeit? — Ich sehe dort
Ein Aug' in Tränen, das zu trocknen, mir
Weit angelegner ist. *(Geht auf Recha zu.)*
                    Du hast geweint?
Was fehlt dir? — bist doch meine Tochter noch?

R e c h a. Mein Vater!...
N a t h a n.   Wir verstehen uns. Genug! —
  Sei heiter! Sei gefaßt! Wenn sonst dein Herz
  Nur dein noch ist! Wenn deinem Herzen sonst
  Nur kein Verlust nicht droht! — Dein Vater ist
  Dir unverloren!
R e c h a.   Keiner, keiner sonst!
T e m p e l h e r r.
  Sonst keiner? — Nun! so hab' ich mich betrogen.
  Was man nicht zu verlieren fürchtet, hat
  Man zu besitzen geglaubt, und nie
  Gewünscht. — Recht wohl! recht wohl! — Das
                       ändert, Nathan,
  Das ändert alles! — Saladin, wir kamen
  Auf dein Geheiß. Allein, ich hatte dich
  Verleitet; itzt bemüh' dich nur nicht weiter!
S a l a d i n.
  Wie gach nun wieder, junger Mann! — Soll alles
  Dir denn entgegenkommen? Alles dich
  Erraten?
T e m p e l h e r r.
        Nun du hörst ja! siehst ja, Sultan!
S a l a d i n.
  Ei wahrlich! — Schlimm genug, daß deiner Sache
  Du nicht gewisser warst!
T e m p e l h e r r.   So bin ich's nun.
S a l a d i n. Wer so auf irgend eine Wohltat trotzt,
  Nimmt sie zurück. Was du gerettet, ist
  Deswegen nicht dein Eigentum. Sonst wär'
  Der Räuber, den sein Geiz ins Feuer jagt,
  So gut ein Held wie du!
  (Auf Recha zugehend, um sie dem Tempelherrn
  zuzuführen.)   Komm, liebes Mädchen,
  Komm! Nimm's mit ihm nicht so genau. Denn wär'
  Er anders; wär' er minder warm und stolz:
  Er hätt' es bleiben lassen, dich zu retten.
  Du mußt ihm eins fürs andre rechnen. — Komm!
  Beschäm' ihn! tu, was ihm zu tun geziemte!
  Bekenn' ihm deine Liebe! trage dich ihm an!
  Und wenn er dich verschmäht; dir's je vergißt,

Wie ungleich mehr in diesem Schritte du
Für ihn getan, als er für dich ... Was hat
Er denn für dich getan? Ein wenig sich
Beräuchern lassen! ist was Rechts! — so hat
Er meines Bruders, meines Assad, nichts!
So trägt er seine Larve, nicht sein Herz.
Komm, Liebe ...

S i t t a h.   Geh! geh, Liebe, geh! Es ist
Für deine Dankbarkeit noch immer wenig;
Noch immer nichts.

N a t h a n.   Halt Saladin! halt Sittah!

S a l a d i n. Auch du?

N a t h a n.   Hier hat noch einer mitzusprechen ..

S a l a d i n.
Wer leugnet das? — Unstreitig, Nathan, kömmt
So einem Pflegevater eine Stimme
Mit zu! Die erste, wenn du willst. — Du hörst,
Ich weiß der Sache ganze Lage.

N a t h a n.   Nicht so ganz! —
Ich rede nicht von mir. Es ist ein andrer;
Weit, weit ein andrer, den ich, Saladin,
Doch auch vorher zu hören bitte.

S a l a d i n.   Wer?

N a t h a n. Ihr Bruder!

S a l a d i n.   Rechas Bruder?

N a t h a n.   Ja!

R e c h a.   Mein Bruder?
So hab' ich einen Bruder?

T e m p e l h e r r *(aus seiner wilden, stummen Zerstreu-
ung auffahrend).*   Wo? wo ist
Er, dieser Bruder? Noch nicht hier? Ich sollt'
Ihn hier ja treffen.

N a t h a n.   Nur Geduld!

T e m p e l h e r r *(äußerst bitter).* Er hat
Ihr einen Vater aufgebunden: — wird
Er keinen Bruder für sie finden?

S a l a d i n.   Das
Hat noch gefehlt! Christ! ein so niedriger
Verdacht wär' über Assads Lippen nicht
Gekommen. — Gut! fahr nur so fort!

Nathan.   Verzeih
 Ihm! — Ich verzeih' ihm gern. — Wer weiß, was wir
 An seiner Stell', in seinem Alter dächten!
 (Freundschaftlich auf ihn zugehend.)
 Natürlich, Ritter! — Argwohn folgt auf Mißtraun! —
 Wenn Ihr mich Eures *wahren* Namens gleich
 Gewürdigt hättet . . .
Tempelherr.   Wie?
Nathan.   Ihr seid kein Stauffen!
Tempelherr.
 Wer bin ich denn?
Nathan.   Heißt Curd von Stauffen nicht!
Tempelherr.
 Wie heiß' ich denn?
Nathan.   Heißt Leu von Filnek.
Tempelherr.   Wie?
Nathan.
 Ihr stutzt?
Tempelherr. Mit Recht! Wer sagt das?
Nathan.   Ich; der mehr,
 Noch mehr Euch sagen kann. Ich straf' indes
 Euch keiner Lüge.
Tempelherr.   Nicht?
Nathan.   Kann doch wohl sein,
 Daß jener Nam' Euch ebenfalls gebührt.
Tempelherr.
 Das sollt' ich meinen! — (Das hieß Gott ihn sprechen!)
Nathan. Denn Eure Mutter — die war eine Stauffin.
 Ihr Bruder, Euer Ohm, der Euch erzogen,
 Dem Eure Eltern Euch in Deutschland ließen,
 Als, von dem rauhen Himmel dort vertrieben,
 Sie wieder hierzulande kamen: — Der
 Hieß Curd von Stauffen; mag an Kindesstatt
 Vielleicht Euch angenommen haben! — Seid
 Ihr lange schon mit ihm nun auch herüber
 Gekommen? Und er lebt doch noch?
Tempelherr.   Was soll
 Ich sagen? — Nathan! — Allerdings! So ist's!
 Er selbst ist tot. Ich kam erst mit der letzten
 Verstärkung unsers Ordens. — Aber, aber —

Was hat mit diesem allen Rechas Bruder
    Zu schaffen?
N a t h a n.   Euer Vater ...
T e m p e l h e r r.   Wie? auch den
    Habt Ihr gekannt? Auch den?
N a t h a n.   Er war mein Freund.
T e m p e l h e r r.
    War Euer Freund? Ist's möglich, Nathan! ...
N a t h a n.   Nannte
    Sich Wolf von Filnek; aber war kein Deutscher ...
T e m p e l h e r r.
    Ihr wißt auch das?
N a t h a n.   War einer Deutschen nur
    Vermählt; war Eurer Mutter nur nach Deutschland
    Auf kurze Zeit gefolgt ...
T e m p e l h e r r.   Nicht mehr! Ich bitt'
    Euch! — Aber Rechas Bruder? Rechas Bruder ...
N a t h a n. Seid Ihr!
T e m p e l h e r r.   Ich? ich ihr Bruder?
R e c h a.   Er mein Bruder?
S i t t a h. Geschwister!
S a l a d i n.   Sie Geschwister!
R e c h a (will auf ihn zu).   Ah! mein Bruder!
T e m p e l h e r r (tritt zurück).
    Ihr Bruder!
R e c h a (hält an, und wendet sich zu Nathan).
                Kann nicht sein! nicht sein! Sein Herz
    Weiß nichts davon! — Wir sind Betrüger! Gott!
S a l a d i n (zum Tempelherrn).
    Betrüger? wie? Das denkst du? kannst du denken?
    Betrüger selbst! Denn alles ist erlogen
    An dir: Gesicht und Stimm' und Gang! Nichts dein!
    So eine Schwester nicht erkennen wollen! Geh!
T e m p e l h e r r (sich demütig ihm nahend).
    Mißdeut' auch du nicht mein Erstaunen, Sultan!
    Verkenn in einem Augenblick', in dem
    Du schwerlich deinen Assad je gesehen,
    Nicht ihn und mich! (Auf Nathan zueilend.)
                    Ihr nehmt und gebt mir, Nathan!
    Mit vollen Händen beides! — Nein! Ihr gebt

Mir mehr, als Ihr mir nehmt! unendlich mehr!
(Recha um den Hals fallend.)
Ah! meine Schwester! meine Schwester!
N a t h a n.   Blanda
Von Filnek.
T e m p e l h e r r. Blanda? Blanda? — Recha nicht?
Nicht Eure Recha mehr? — Gott! Ihr verstoßt
Sie! gebt ihr ihren Christennamen wieder!
Verstoßt sie meinetwegen! — Nathan! Nathan!
Warum es sie entgelten lassen? sie!
N a t h a n.
Und was? — O meine Kinder! meine Kinder! —
Denn meiner Tochter Bruder wär' mein Kind
Nicht auch, — sobald er will?
*(Indem er sich ihren Umarmungen überläßt, tritt Saladin
mit unruhigem Erstaunen zu seiner Schwester.)*
S a l a d i n.   Was sagst du, Schwester?
S i t t a h. Ich bin gerührt ...
S a l a d i n.   Und ich, — ich schaudere
Vor einer größern Rührung fast zurück!
Bereite dich nur drauf, so gut du kannst.
S i t t a h. Wie?
S a l a d i n.   Nathan, auf ein Wort! ein Wort! —
*(Indem Nathan zu ihm tritt, tritt Sittah zu dem Ge-
schwister, ihm ihre Teilnahme zu bezeigen; und Nathan
und Saladin sprechen leiser.)*
Hör'! hör' doch, Nathan! Sagtest du vorhin
Nicht —?
N a t h a n. Was?
S a l a d i n.   Aus Deutschland sei ihr Vater nicht
Gewesen; ein geborner Deutscher nicht.
Was war er denn? Wo war er sonst denn her?
N a t h a n. Das hat er selbst mir nie vertrauen wollen.
Aus seinem Munde weiß ich nichts davon.
S a l a d i n.
Und war auch sonst kein Frank? kein Abendländer?
N a t h a n. O! daß er der nicht sei, gestand er wohl. —
Er sprach am liebsten Persisch ...
S a l a d i n.   Persisch? Persisch?
Was will ich mehr? —Er ist's! Er war es!

N a t h a n.   Wer?
S a l a d i n.
  Mein Bruder! ganz gewiß! Mein Assad! ganz
  Gewiß!
N a t h a n. Nun, wenn du selbst darauf verfällst: —
  Nimm die Versichrung hier in diesem Buche!
  (Ihm das Brevier überreichend.)
S a l a d i n *(es begierig aufschlagend).*
  Ah! seine Hand! Auch die erkenn' ich wieder!
N a t h a n.
  Noch wissen sie von nichts! Noch steht's bei dir
  Allein, was sie davon erfahren sollen!
S a l a d i n *(indes er darin geblättert).*
  Ich meines Bruders Kinder nicht erkennen?
  Ich meine Neffen — meine Kinder nicht?
  Sie nicht erkennen? ich? Sie dir wohl lassen?
  (Wieder laut.)
  Sie sind's! sie sind es, Sittah, sind's! Sie sind's!
  Sind beide meines . . . deines Bruders Kinder!
  (Er rennt in ihre Umarmungen.)
S i t t a h *(ihm folgend).*
  Was hör' ich! — Konnt's auch anders, anders sein! —
S a l a d i n *(zum Tempelherrn).*
  Nun mußt du doch wohl, Trotzkopf, mußt mich
                                           lieben!
  (Zu Recha.) Nun bin ich doch, wozu ich mich erbot?
  Magst wollen, oder nicht!
S i t t a h.   Ich auch! ich auch!
S a l a d i n *(zum Tempelherrn zurück).*
  Mein Sohn! mein Assad! meines Assads Sohn!
T e m p e l h e r r.
  Ich deines Bluts! — So waren jene Träume,
  Womit man meine Kindheit wiegte, doch —
  Doch mehr als Träume! *(Ihm zu Füßen fallend.)*
S a l a d i n *(ihn aufhebend).* Seht den Bösewicht!
  Er wußte was davon, und konnte mich
  Zu seinem Mörder machen wollen! Wart'!
*(Unter stummer Wiederholung allseitiger Umarmungen
                   fällt der Vorhang.)*

Zu Lessings „Nathan der Weise"

Durch die Herausgabe der sog. „*Wolfenbütteler Fragmente*" (Teile einer nachgelassenen religionskritischen Schrift von Samuel Reimarus, 1694—1768) war Lessing als Bibliothekar der Wolfenbütteler Bibliothek mit dem hamburgischen Hauptpastor Goeze in einen literarisch-theologischen Streit geraten. Diese Auseinandersetzung um die Freiheit der Forschung in religiösen Fragen erregte so viel Aufsehen, daß der Bibliothek im Juli 1778 weitere Veröffentlichungen durch Kabinettsbefehl verboten wurden. Aber Lessing ließ sich nicht mundtot machen, sondern verfaßte in den folgenden Monaten das dramatische Gedicht „*Nathan der Weise*", durch das er hoffte, „den Theologen einen ärgern Possen zu spielen als noch mit zehn Fragmenten" (an seinen Bruder Karl, 11. August 1778). An Elise Reimarus schreibt er am 6. September 1778: „Ich muß versuchen, ob man mich auf meiner alten Kanzel, auf dem Theater, wenigstens noch ungestört wird predigen lassen."

Die Quelle zu „*Nathan der Weise*" ist eine Novelle aus dem „*Decamerone*" des Giovanni Boccaccio (1313 bis 1375). Am 14. November 1778 begann Lessing die Bearbeitung des Stoffes in fünffüßigen Jamben, im Mai 1779 erschien das Werk bereits im Druck. Die erste Ausgabe hatte Lessing auf Subskription erscheinen lassen, aber noch im gleichen Jahre kamen bei Voß in Berlin zwei berechtigte Nachdrucke heraus. Übersetzungen folgten rasch (1781 englisch und niederländisch, 1783 französisch); heute ist das Werk in alle Kultursprachen übertragen.

Eine Aufführung des „*Nathan*" erlebte Lessing nicht. Erst nachdem das Stück in Schillers Bearbeitung am 28. November 1801 in Weimar gespielt worden war, eroberte es sich einen bleibenden Platz auf der deutschen Bühne. So wurde auch zur Einweihung des Berliner

Lessing-Theaters am 11. September 1888 von Lessings
Stücken gerade der „Nathan" gewählt.

Das Versmaß des „Nathan" war Vorbild für die klas-
sische deutsche Dramatik. Das Werk selbst beurteilten
die Zeitgenossen sehr verschieden. Die theologische Fa-
kultät in Leipzig wollte das Stück unterdrücken, und
Frankfurt erließ ein Verkaufsverbot. Aber Herder schrieb
an Lessing (1. Juni 1779): „Ich sage Ihnen kein Lob über
das Stück; das Werk lobt den Meister, und dies ist Mannes-
werk." Goethe, der „Nathan den Weisen" sehr bewun-
derte, sprach den Wunsch aus: „Möge das darin ausge-
sprochene göttliche Duldungs- und Schonungsgefühl der
Nation heilig und wert bleiben!"

Emilia Galotti. Trauerspiel. UB Nr. 45

Die Erziehung des Menschengeschlechts
und andere Schriften
Mit einem Nachwort von Helmut Thielicke. UB Nr. 8968

Der junge Gelehrte
Lustspiel. Mit einem Nachwort und Erläuterungen von
Alfred Anger. UB Nr. 37/37a

Kritik und Dramaturgie. Ausgewählte Prosa.
Auswahl und Einleitung von Karl Hans Bühner.
UB Nr. 7793

Laokoon oder über die Grenzen der Malerei
und Poesie
Mit einem Nachwort von Ingrid Kreuzer.
UB Nr. 271/71a/b

Minna von Barnhelm oder das Soldatenglück
Lustspiel. Mit einem Nachwort. UB Nr. 10

Miß Sara Sampson. Trauerspiel. UB Nr. 16

Nathan der Weise. Dramatisches Gedicht. UB Nr. 3

PHILIPP RECLAM JUN. STUTTGART